JN061282

はじめに

「プロの小説家になりたい」。そんな思いや熱意を持って、あなたは本書を手にとってくれたのだろう。

筆者はこれまでにも、小説家になるための基礎知識やテクニックを紹介した本、ストーリー制作やキャラクターなどの創作のアイデアに特化した書籍などを多数制作してきた。その中でも、本書は「ライトノベルを書きたい」、「ライトノベル作家になりたい」方に向けて制作した。

榎本事務所では創作支援本としての制作を二〇〇〇年代後半頃より続けてきたが、読者の関心やジャンルの流行り、新人賞の種類、デビューの道、といったものは数年おきに変化が続いている。

また、ライトノベルのアニメ化も増えたことで、ライトノベル作家志望者や、小説を書くことに興味を抱く方の若年化も進んでいる。

そこで、本書では小説のテクニックについてだけではなく、プロの作家になるというのはどういうことなのか、そもそも書籍はどのようにして作られ、流通しているのかなどについてもまとめた。ご自身が目指そうとする職業や業界についての理解も深めていただけると良いだろう。

ライトノベル作家を目指す中高生に向け、ライトノベル作家になるための道についてもまとめている。

近年需要の高まりから、カルチャースクールや専門学校に限らず、短大や大学でも小説を学べる場が増えている。筆者を含め榎本事務所のスタッフも、東京の東放学園映画専門学校 小説創作科、名古屋の専門学校日本マンガ芸術学院 メディアアート学科小説クリエイトコース、仙台の専門学校日本デザイナー芸術学院 小説科で小説の書き方を教えている。これから進路の選択が待っているという方の参考になれば幸いだ。

ライトノベル業界は常に拡大を続け、インターネットでの小説投稿サイトの普及や多彩な新人賞・文学賞も増えている。デビューへの道といえば新人賞への応募が当たり前だった時代と比べ、投稿サイトの広がりや、投稿サイトと出版社との連携が、プロになるための道を広げてくれたといえるだろう。

十一章でデビューの方法や、代表的なライトノベルレーベルの紹介をしているので、どのような形での小説家デビューを目指すのが良いか、参考にしてほしい。

本書の特徴を述べてきたが、小説家にとって何が一番必要かといえば、それは「根性」だ。「根性」がなくては、小説を書き上げることもできないし、推敲を繰り返して完成させることもできない。何より、書き続けていくことができなければ、プロとして活躍し続けることは難しいだろう。

プロ作家というのは、原稿用紙三〇〇枚以上の作品を、年間四、五冊出し続けなければいけない。あなたの目指すライトノベルならなおのことだ。若者の興味の移り変わりは激しく、一冊出しても続きを出すのに半年、一年、数年とかかっていては、ファンの熱は冷めて、別の作品へ移ってしまう。

だからといって、「小説に根性論なんて」と思う方もいるだろう。しかし実際、専門学校で講師をしていても、在学中に長編小説を一本も書き上げられない学生さんは多い。周囲に何人もライバルがいて、アドバイスをくれる講師がいて、そんな講師たちにお尻を叩かれているという環境の中でもだ。何本も書き上げてくるような学生さんは本当に稀と言って良い。

この本を手に取ってくださったあなたがまだ学生なら、本書を読んで今からできることを考えてみてほしい。書き上げること、書き続けることが難しいのであれば、今から訓練して書くことに慣れていけば良いのだ。学校生活の中でできることもたくさんある。本来なら積極的に外へ出ることを推奨したいが、時勢的に難しいこともあるだろう。逆に、在宅時間の長い今だからこそ、小説を書くためにできることがあるはずだ。

これからライトノベルを書いていこうと考えるあなたにとって、本書がその一助になれば幸いである。

榎本秋

1章
創作に興味を持ったら始めよう

1 ライトノベルとはなにか

ライトノベルの誕生

本書を手にとったあなたは、普段からライトノベルを読んでいたり、ライトノベルが原作のマンガやアニメなどを見たりして、少なからずライトノベルに興味を持っているのだろう。では、あなたのイメージするライトノベルとは何だろうか。挿絵が入っている、アニメ化やコミカライズされている、ライトノベル作家と言われている人が書いている、中高生向け……など。人によって答えはさまざまであり、ライトノベルに分類するための要素はいくらでも出てくる。それは裏を返せば、明確な言葉で定義するのは難しいということだ。

元々ライトノベルの前史的な作品の一つは、70年代に入ってきた翻訳のファンタジー小説に始まる。『ナルニア物語』『指輪物語』『ゲド戦記』といった世界的に有名な古典ファンタジーである。その後、80年代になると中高生層をターゲットとしたファンタジー小説が活発になり、ライトノベル史の前期であり、ヤングアダルトやジュブナイルやジュニア小説などと呼ばれた。そして、80年代後半に入り、富士見ファンタジア文庫や角川スニーカー文庫といった現存するライトノベルレーベルが創刊されたのである。90年代後半には電撃文庫がトップレーベルとなり、ゼロ年代は新しいライトノベルレーベルが乱立し本格的なライトノベルブームが到来した。

既に書き尽くされたと言われていたライトノベルだが、ゼロ年代から現在までの間には「俺TUEEEE系」や「世界系」といった時代や読者の変化に合わせて生まれた新ジャンルが確立されたり、ネット小説が活発になったことでブームになった「なろう系」の進出、面白さが再確認される形となった「異世界転生もの」など、人気ジャンルの変化は目まぐるしい。また、現在のライトノベルは必ずしも若者向けのジャンルではなくなったといえる。ライトノベルが誕生した当時中高生だった読者がそのまま読み続けていたり、大人向けライトノベルとも言われる

「キャラクター文芸」などが登場したからだ。

こうした変化により、ライトノベルは以前にも増して定義付けが難しいジャンルとなっている。

曖昧な境界線

一言では言い表すことができないライトノベルだが、実はレーベルや出版社によって刊行されている作品の方向性はある程度分かれている。

まず大きく分ければ、ライトノベルにも男性向けレーベルと女性向けレーベルがある。電撃文庫や富士見ファンタジア文庫など多種多様なジャンルを受け入れているレーベルは男女問わず読者や新人賞を目指す小説家志望者も多い。その他には萌え系やハーレム系と言った男性読者を強く意識したレーベル、中高生の恋愛模様を描いたりボーイズラブ要素のある女性向けレーベル、主人公が大学生や社会人といった大人の読者層をターゲットとしたレーベルなどがある。各レーベルそれぞれの特徴は十一章のレーベル紹介で詳しく紹介しよう。

一方で、日常系ミステリーなどのライトな推理小説がミステリー系レーベルから出ていたり、小中高生が主人公の作品が児童書のレーベルから出ていたりと、ライトノベルに非常に近い感覚の作品がライトノベル以外のレーベルから刊行されることも珍しくない。これは逆もまたしかり。

このように、ライトノベルは読者層の広がりやジャンルの多様性とともに、小説のジャンルとしての線引きが曖昧になっている。「この作品は本格的なミステリーを扱っているけど作品の雰囲気はライトノベルだ」というように、ミステリーレーベル、ライトノベルレーベル、どちらのレーベルから刊行してもおかしくないケースが増えた。

以上のように、ライトノベルの説明はとても難しい。ただ、一つ言えることはどのジャンルもキャラクターが個性的でかつ感情移入しやすく、読みやすさが求められていると言えるだろう。

2 リアリティーは日常の中にある

観察を習慣にしよう

小説家やマンガ家と聞くと、みんな自分のネタ帳を持っていて、そこに書き留めたアイデアから物語を作るというイメージがないだろうか。実際にネタ帳を作っているかは人それぞれだが、何かしらのアイデアが物語の元になるケースはある。では、そのアイデアはどのようにして得るのだろうか。

実は、アイデアというのは日常の中に隠れていることが多い。学校や会社、飲食店や電車の中、病院の待合室など、外に出たらさまざまなものに目を向けてみよう。学生たちの面白い会話やサラリーマンの何気ない通勤風景、街で見かけた少し変わった人など、数え切れないほどの情報に溢れているはずだ。

なんの変哲もない風景だとしても、小説を書く際、それがリアリティーのある描写にとても役に立つし、学生の会話は十代のキャラクターのセリフの参考になるだろう。しかし、あまりに不躾に眺めてしまうと不審がられる恐れもあるので、観察する時はさり気なくが鉄則である。

アイデアは思い付いた時が旬！

ネタ帳を作るかは人それぞれとは言ったが、メモは取るクセをつけよう。観察して発見したことや、ふと思い付いたアイデアなどを書き留めるためだ。あとでメモをしようと思っても、意外と忘れてしまうことも多い。思い付いた時はどんなに「すごいアイデアを思い付いた！」となっても、夢と同じでぱっと浮かんだことというのは時間とともにどんどん記憶が薄れていき、数時間前のことなのに思い出せないということもある。だからこそ、どんな形でも良いのできちんとメモは残しておきたい。

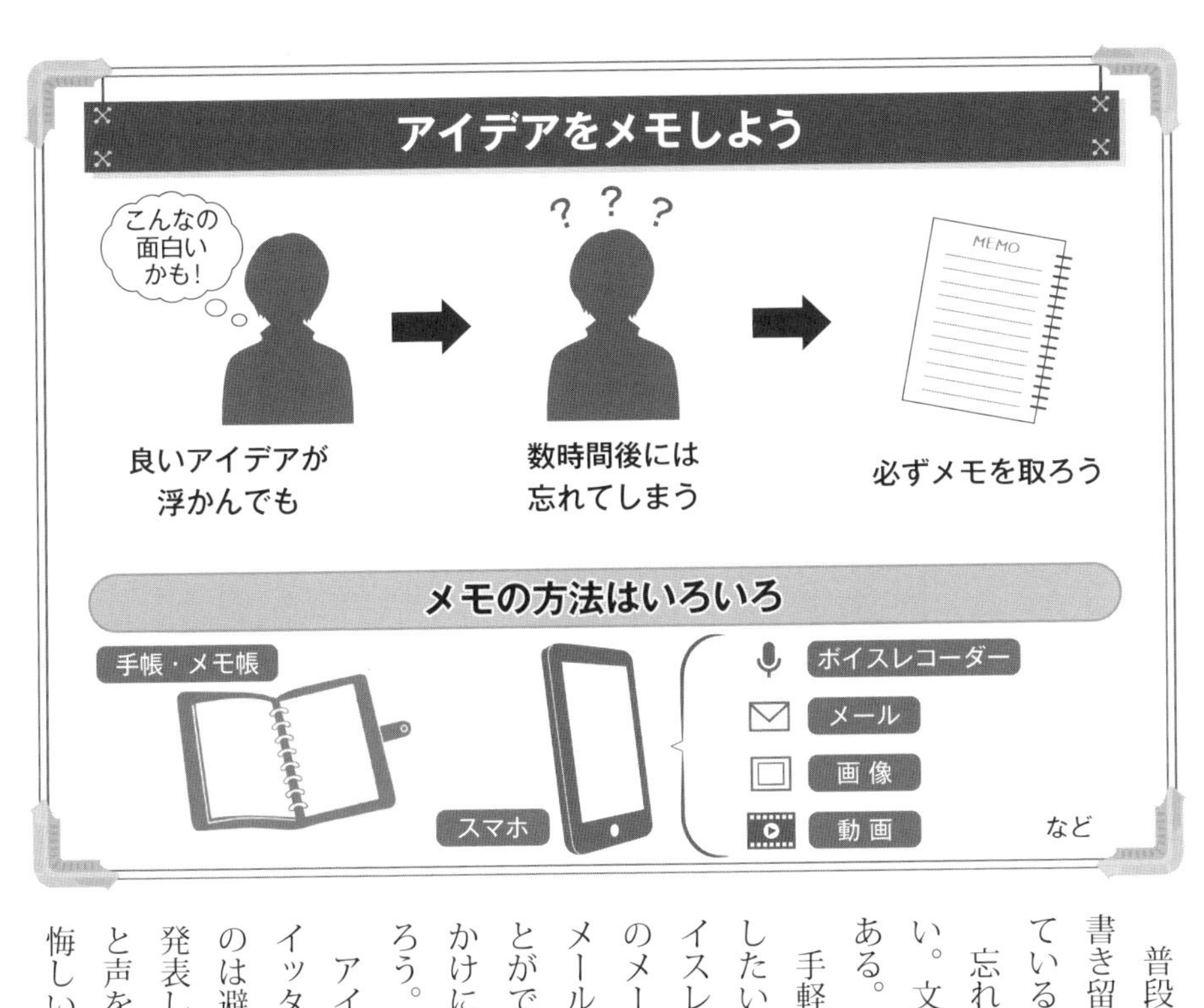

普段から手帳を持ち歩いている人なら、手帳にペンで書き留めるのもアリだ。手書きが好きでこだわりを持っている人もいるだろう。

忘れないように残すのであれば手書きである必要はない。文明の利器を使えば、メモを残す方法はいろいろとある。

手軽にメモを取りたいなら、スマートフォンをおすすめしたい。スマートフォンにはメモ帳の機能のほかに、ボイスレコーダー機能もあるし、メールでアイデアを自分のメールアドレス宛に送ることもできる。こうすれば、メールを開ける環境ならどこからでもメモを確認することができる。声や文字で残すのが難しい状況なら、きっかけになったものを画像や動画で残すのも一つの手段だろう。

アイデアは作家の財産だ。いくら手軽だとしても、ツイッターなど不特定多数の目に触れる場所にメモを残すのは避けよう。誰かがあなたのアイデアを真似て、先に発表してしまうかもしれない。それが自分のアイデアだと声を挙げても、どれだけの人が味方してくれるだろう。悔しいが、先に作品を発表した方が評価される。

3 読書（古典・名作）をしよう

本を読もう

みなさんは、これまでどんな本を読んできただろうか。「プロの小説家になりたい」といえば、聞いた人は「この人は本を読むことが好きなんだろう」と思うだろう。しかし、近年小説家を志す人の中には、本や小説をまったく読まないという人も意外と多い。

こう聞いて、「そんな人いるの？」と驚く人もいれば、「よかった、自分だけではないんだ」とほっとする人もいるだろう。

あなたは「インプット」と「アウトプット」という言葉を知っているだろうか？「入力」と「出力」という意味の言葉だが、ここでは何かを取り入れることを「インプット」、それをもとに成果物を作ることを「アウトプット」とする。

本を読むのは「インプット」に当たる行為で、さまざまなことを吸収できる。面白い描写方法や表現を知ったり、語彙力が上がったり、知識が増えたりといったことだ。これらは小説を書く上でどれも役立つし、アイデアそのものを真似しなければ、他人の作品から技術を取り入れても良い。そうして得た知識や技術、そこから得たインスピレーションを物語という形で生み出す。これが作家の「アウトプット」である。

これまで本を読んでこなかった人は、今からでも読書を始めよう。読書といっても難しく考えず、興味のある作品から読んでみれば良い。書店に売られている小説はプロの作品であり、小説を書く上で参考にしたい技術の宝庫と言える。もちろん、好みの作家もいれば、文体が合わない作家もいるだろう。

ぜひたくさん読んで、「こんな小説を書いてみたい」という作家や作品を見つけてほしい。

名作や古典作品を読もう

名作や古典と呼ばれる作品をどのくらい読んだことがあるだろう。ここでいう古典作品というのは、『源氏物語』というような大昔の物語のことではない。明治・大正・昭和など近代の日本文学界で活躍した夏目漱石や芥川龍之介など、文豪と呼ばれる作家たちの作品である。

ライトノベルを書いてみたい人にとって、古い作品は現代の小説とは文体も作風も違いすぎて参考にならないと思うかもしれない。では、なぜそんな古い作品が名作として残り、現在でも親しまれ、学校の教科書などにも載っているのだろうか。

それは、時代に左右されることのない魅力があるからだ。

例えば、現代では外来語（カタカナで表記されることが多い言葉）が溢れ、複雑な意味合いも一言で片付いてしまう。しかし、まだ外来語が少ない時代は日本の言葉で表現されていた。大和言葉などともいうが、日本語だからできる独特の言葉の美しさがある。艶やかで瑞々しい言い回しや描写の表現方法などを参考にしてみてほしい。きっと面白い発見があるだろう。

また、独特なストーリーや読者を引き込み最後まで読ませる構成力も魅力の一つといえる。テーマ性が強く、読み手に考えさせるストーリー構成は、印象を残しやすい。短編作品などは、テーマをお話に盛り込む時の参考になるだろう。

セリフと地の文のバランスにも注目すると良い。日本文学には全てを語らない美しさというものもある。セリフの一つ一つに込められた意味や、地の文の描写から、作者が何を伝えようとしているのか。いわゆる行間を読むという、小説の楽しみ方だ。行間を意識して読むことができるようになれば、作品を読む力が身につくだろうし、自身の作品にも生かすことができる。

4 模写で文章力アップ！

模写のすすめ

せっかく読書をするのなら、本文の模写もおすすめしたい。

「模写」とは、元になる文章や絵を、それと同じように書き写すことだ。本を書き写す場合は「写本」ともいう。

模写をするのは、あなたが好きな作者や書きたいと思う文体の作品から始めれば良い。長編小説一作を書き写すのは大変なので、好きな章や短編小説などが良いだろう。

もちろん、ただ機械的に書き写すだけでは意味がない。文章の一字一句、作者の選んだ言葉や言い回し、その意図を考えながら書き写すことで、その技術を自然と自分の中に取り込むことができる。もし時間があるのなら、模写を始める前に一度軽く文章を読み、内容を把握しておくと良いだろう。書き写しているのがどんなシーンで、登場人物がどんなことを思っているのかを考えながら、改めてその文章を読むことができる。

模写の方法は、手で書き写しても、パソコンやタブレットの打ち込みでもどちらでも構わない。考えながら文章をなぞることに意味があるので、自分がやりやすい方法を選ぶのが良いだろう。

また、模写をする際に音読をするのもおすすめだ。文章を読むことはインプットにあたる行為だが、模写と音読はインプットしながらアウトプットもできる作業なので、より文章を書く力が身につきやすいといえる。

文豪の作品を写本しよう

模写におすすめなのが、夏目漱石や芥川龍之介など、明治・大正・昭和初期に活躍した文豪と呼ばれる作家の作品だ。短編作品が多いことと、日本語の美しい表現方法をたくさん知ることができる。

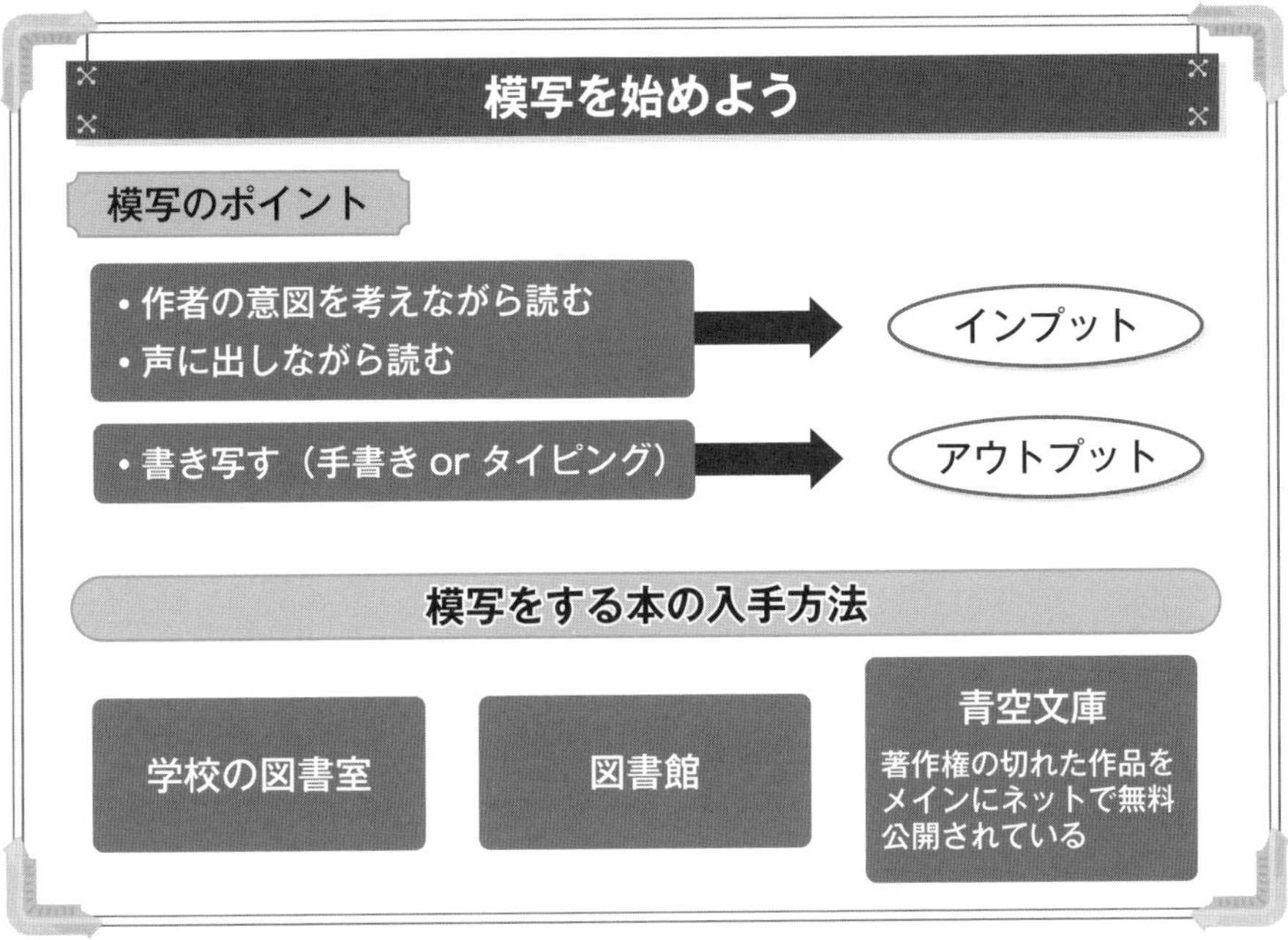

模写を始めよう

模写のポイント

- 作者の意図を考えながら読む
- 声に出しながら読む

→ インプット

- 書き写す（手書き or タイピング）

→ アウトプット

模写をする本の入手方法

学校の図書室	図書館	青空文庫 著作権の切れた作品をメインにネットで無料公開されている

模写をする際は、一日十分や十五分など短めに時間を決めて取り組むのが良い。気合いを入れて一度にたくさんの模写をしようとしても、途中で疲れてただの作業になってしまう。集中が途切れない範囲で少しずつやろう。大切なのは、継続すること。短時間でも毎日続けることで確実にあなたの文章力は向上していくだろう。

有名な文豪の作品は学校の図書室や街の図書館に置いてある。または「青空文庫」というネット上の電子図書館でも著名な作者の作品が無料で公開されている。

もし、どの作品から読めば良いかわからないのなら、榎本事務所が制作した『文学で「学ぶ／身につく／力がつく」創作メソッド』（DBジャパン／二〇二〇年刊行）を参考にしてほしい。

この本は、ぜひ読んでほしい文豪十五名の代表作である短編を全文収録し、作品解説や創作に役立つポイントなどをまとめている。解説付きで読むことができ、本文が載っているため模写をすることも可能だ。日本文学の入門書としてもおすすめしている本なので、これから古典文学を読んでいこう、という方にも手に取りやすい内容となっている。

5 小説の基本ルール

小説の書き方を知ろう

小学校の作文の授業で、行の頭は一文字下げてスタート、行末の句読点は次の行頭に打たず枠外に打つ、などのルールを習ったのは覚えているだろうか。小説にもさまざまな決まりごとがあるので見ていこう。

①縦書き

日本語で読まれる小説は縦書きが基本である。縦書きには書いてみないと分からないルールや気付かない点が多いので、可能なら書き上げてからに縦書きに変換するのではなく、普段から縦書き設定で書くクセを付けたい。しかし、パソコンを持っていないという人もいるはずだ。スマートフォンで執筆ができるアプリの中には、縦書きできるものもあるので、自分に合った使いやすいものを探してみると良いだろう。

②行頭は一文字下げてスタート

各段落の一番最初の行頭は、一文字下げ（空白を空け）てスタートする。

作文の基本でもある一字下げだが、パソコンなどでワープロソフトを使う際は注意が必要だ。一部のワープロソフトには、自動字下げ機能が搭載されている。エンターキーで改行すると自動的に行頭が字下げされる機能だが、実はこの機能には落とし穴がある。字下げされている部分にスペースが設定されていないので、テキスト形式で保存したり、別のソフトにコピー&ペーストすると字下げがすべて取れてしまう。そのため、字下げ機能は使わず手動で下げることを推奨する。

③ 数字は漢数字

縦書きの際の数字は漢数字が基本。ただし、「A4用紙」のように固有名詞になっているものや、ミステリーのトリックとしてアラビア数字（算用数字）であることがキーになっている設定、などの例外は認められる。数字の表記方法は作中でルールが統一されていれば構わないが、例えば「1980年」とする時「千九百八十年」より「一九八〇年」と、数字をそのまま漢字に置き換えることが一般的だ。また、どうしてもアラビア数字を使う際は、二桁までは半角、三桁からは全角にするのが良い。これは、二桁の数字は一文字のスペースに横並び（例：50）で収めて表記され、三桁以上の数字は縦並び（例：５００）に表記されることが多いためである。

④ エクスクラメーションマーク「！」とクエスチョンマーク「？」

いわゆる「びっくりマーク」と「はてなマーク」のことで、ライトノベルでは登場頻度の高い記号である。「！」「？」の扱いは、アラビア数字の扱いと似ている。二つ並べる時は半角「!!」「!?」、三つ以上は全角「！！！」にしよう。二桁の数字や「!!」のように、二つの半角文字を一文字に収まるようにする処理を「縦中横」という。ワードや一太郎といったワープロソフトにも搭載されている機能だが、本になる際はプロのデザイナーが処理をするので、執筆中から処理する必要はない。その代わり、半角・全角の使い分けを意識できると良いだろう。

⑤ 行末の禁則処理

原稿用紙のルールと同じで、行末に来てしまった句点「。」・読点「、」・括弧の受け「」』など」は、次の行の頭には持っていかず、その行内に収めよう。このような処理は禁則処理といわれ、大抵のワープロソフト（ワードや一太郎）では自動的に調整してくれる。また、「！」「？」「ー（音引き）」といった文字も同様。「……」「――」が行末と行頭に別れてしまうのも好ましくない。本になる場合、これらの処理も基本的にデザイナーがしてくれるため執筆中に気にしすぎることはないが、書き方のルールとして覚えておこう。

⑥台詞は「」や（）で閉じ、台詞の最後に句点は打たない

口に出す台詞は普通の鉤括弧＝「」、心の中の声は丸括弧＝（）で挟むのが基本。また、電話相手の台詞や回想の台詞など、普通とは違う台詞の場合、二重カギ括弧＝『』などで囲むことで差別化し、読者にとって視覚的にわかりやすくする手法もある。小説の場合、作文とは違って台詞の最後に句点は打たないので注意しよう。

⑦三点リーダー「…」とダッシュ「―」は二本使い

無言を表したり、間を取ったりする際、意図を含んだ表現などの時に使用されることが多い。この二つの記号は黒い点一つの中黒「・」や言葉を伸ばす時に用いる音引き「ー」と言われる文字と間違えられがちだが、どちらも正式な名前や決められた記号、使い方のルールが存在する。

「…」↓名称「三点リーダー」。三つの点で一文字の記号。

「―」↓名称「ダッシュ」。

使用のルールは、どちらも二つ繋げてのワンセット使いが基本だが、台詞がない「……」のような使い方の時には二セット（四つ繋げ）で使う。ダッシュも同様。あまり多用はおすすめできないが、どうしても二セット以上繋げて使いたい場合は、必ず偶数になるように増やしていくと覚えておこう。

⑧英語の処理

もしも英文を掲載する場合、全角縦書きにするのか、半角横倒しにするのかはきちんとルールを決めておこう。基本的に大文字・小文字は関係なく、全角なら縦書き（Ｎｏｖｅｌ）、半角なら横書き（Novel）となる。

小説の基本ルールまとめ

⑧英語表記の扱い
- 全角→縦書き
- 半角→横に倒して表記

例全角　ＮＯＶＥＬ　ｎｏｖｅｌ

例半角　NOVEL　novel

①日本語の小説は縦書きが基本

②段落の行頭は１文字開けて書き始める

③数字は漢数字
「Ａ４用紙」などの名詞はアラビア数字のままでOK

加奈は、二〇二〇年から
Ｔｗｉｔｔｅｒを開始した。
「加奈ツイートしすぎだよ」
（そうかなぁ……？　自分
では普通だと思うけど）

⑦
「……」
→三点リーダー
「――」→ダッシュ
ともに2つセットで使う

⑥台詞は括弧閉じ
- 「」→声に出す台詞
- （）→心の声が一般的

⑤行末の禁則処理
- 「。」「、」「！」「？」「括弧の受け」などは次の行頭へ持って行かず、行内に収める
- 「……」「――」は行別れさせない

④「！」「？」の処理
- 「!!」「!?」→２つ並べる時は半角
- 「！！！」→３つ以上は全角
- 「！」「？」の後は１文字空ける

6 自分と向き合ってみる

いざライトノベル執筆に取り掛かろう——という前に、一度立ち止まって考えてほしいことがある。それは「なんのためにライトノベルを書くのか？」「自分はなにが好きなのか？」だ。

人によっては意外かもしれないが、この二点をきちんと考えずに書き始める人は多い。漫然と「小説なら書けそうだから」「書いてるうちにライトノベル作家になれたらいいなあ」「なんかライトノベルっていえば異世界ファンタジーだよね」くらいに考えている人もいるだろう。

ただ趣味として書くなら、それでも大きな問題はない。しかし、本書のようなハウツー本を読むくらい「本気」な人なら、ここできっちり自分がなにをしたいのか、なにをするべきなのか考えた方が良い。なぜなら、今後の執筆活動に確実に跳ね返ってくるからだ。

なんのために書くのか？

改めて、あなたは「なんのために書く」のだろうか。

楽しそうだから、面白そうだから……という人もいるだろう。この場合、あまり小難しいことを考える必要はない。心の赴くままに世界を作り、その中でキャラクターたちを遊ばせれば良い。完結しないままに新しい作品を書いたとしても問題はない。日々を生きている中で感じること、自分の中から湧き上がってくるイメージを小説として発散させるのは立派な創作のあり方だし、それによって人生が豊かになるのはとても素晴らしいことである。

ただ、友達に見せたり、インターネットや同人イベントで発表したいなら、少し事情は変わる。そのような場所で評価されたいなら、物語の面白さやキャラクターの魅力は当然として、「伝えるための工夫」が必要になるからだ。読みやすくテンポの良い文章、読者を混乱させせない描写ができた方が絶対に良い。となると、本書に書かれて

なんのために小説を書くのか？

あなたがなにを目的とするかでやるべきことが変わる

あくまで趣味、
自分の楽しみとして
↓
好きなように書こう

友人に見せるためや
同人誌、ネットなど
↓
伝える努力が必要

プロを目指す！

作品の質も伝える力も
高レベルで必要

**最初から高い目標を掲げて
肩に力を入れると失敗してしまいがち**

いるようなテクニックが必要になる。

プロのライトノベル作家になりたいなら、さらにハードルが高くなる。お話の面白さや伝えるテクニックはより高度なものを要求されるだけでなく「良い作品を作り続ける」ことや「頑張って書いた作品を大幅に削ってバランスを整えたり、書き直したりする」ことも求められたりする。そのような苦しさに耐える体力や精神力も必要なのである。

誤解しないでほしい。プロを目指すなら最初から強い覚悟を持っていなければならない、と言いたいわけではない。むしろ「プロになる！」と最初から高い目標を掲げて強く意気込んだ人ほど、早めに心が折れてしまいがちである。「なれるならなりたいけど、まずは趣味として楽しんで書きたいなあ」くらいの方が長続きする。

ただ、プロになりたいならやらなければいけないことがたくさんあるし、いま自分はどこを目標にしているのかを考えることには大きな意味があるだろう。ぼんやりと書いているだけでは目的を達成できない可能性が高い。そのことを知ってもらいたいから、「なんのために書くのか」と問いかけたのだ。

「なにが好きなのか？」

もう一つの問いかけは「あなたはなにが好きなのか？」である。これも意外に軽視している人や、きちんと把握できていない人がいる。

好きなライトノベル（あるいは好きなエンターテインメント）は特に思い当たらない、もしくは「なくはないけれど、それよりも流行のジャンルで小説を書いた方がウケるんじゃない？」と考えて、「なんとなくこんな感じだろう」と感覚で書いてしまう。すると間違いなくうまくいかない。専門学校やコミュニティセンター、インターネット上などで出会ってきた作家志望者にしばしばいたタイプである。その時点での文章の上手さにはあまり関係なく、どちらかといえば読書量の少ない人に多かったような印象だ。

好きでないもの、書き手が面白みを見出せないもの、潜在的に自分が好きだと思っているものと食い違っているものを書いても面白くはなりにくい。書き手が楽しんで書いたものの方が絶対に情熱が乗るし、長編小説を書くという苦行にも耐えやすくなる。書いていてふと「なんのためにこんなことをしているのか」などと我に返る可能性も減る。

プロを目指すなら「好き」「嫌い」は関係なく書けるようにならなければ、と考えている人もいるかもしれない。しかし、それは間違いだ。プロなら嫌いな題材、苦手なテーマに挑戦を求められることもあるだろうが、そのときにも嫌いな中に「好き」を見出す努力、好きになろうとする姿勢が必要なのである。

だから、自分の「好き」をきちんと把握することは大事といえる。その上で、他者に評価されたいから売れ筋とすり合わせる（探偵ものが好きなんだけど異世界ファンタジーが流行っている、だから異世界で活躍する探偵を書こう、など）のは良いことだが、自分がなにを好きなのか把握できていないと、すり合わせることさえできなくなってしまう。

なにが好きなのか？

自分はどんな物語が好きなのだろうか？
↓
意識できていない、把握できていないまま
書く人が結構多い

「好き」なしでは魅力的な作品は作れない

自分の好きな作品を改めて読み返すことで
「なにが好きなのか」を再発見できる

では、自分の「好き」が分からない人、分かっているつもりだけれど自信のない人はどうしたら良いのだろうか。おすすめは、自分の好きなエンターテインメント作品と向き合ってみることである。「あ、自分はこういうジャンルやストーリー展開、キャラクターが好きなんだな」と再確認・再発見できるだろう。

しかも単に娯楽として楽しんでいた時とは違い、「気楽な冒険活劇と思っていたけれど、意外に社会派な話をやってたんだな」「ここで丁寧に状況描写をやってたからごちゃごちゃするアクションがすっと飲め込めたんだな」など気付きがあって創作に役立つ。また、好きだと思っていた作品に苦手な部分を見出してしまうこともあるし、複数の作品に好きな要素を見出すこともあるだろう。

そのような発見を経て、改めて「自分はなにが好きか」「それを物語として表現するにはどんなストーリーやキャラクター、世界設定が必要なのか」と考える。その時にこそあなたの作品には個性が生まれ、物語に魅力が備わっていく。根本的な部分にこそ問題解決のヒントがある、ということで頑張ってほしい。

7 小説を書いてみよう

小説は手軽に始められる

まずは小説を書いてみよう。といっても、ネタがなくては難しいかもしれない。それなら、身近に起きた印象的な出来事を日記変わりに小説風に書いてみてはどうだろう。小説はたくさん書いただけ書き慣れるし、文章の繋げ方や言い回しなども上達する。「こんな物語を書きたい！」というアイデアがあるのならそれを書いてみても良い。

あまりおすすめできないのは「まだ小説を書くだけの知識や技術がないから」と形から入るタイプだ。書くために勉強しようという姿勢は素晴らしい向上心だが、書くことも練習であり勉強の一つ。いきなり長編を書こうとする必要はないので、原稿用紙一〜二枚のショートショートなどの短いお話から挑戦してみよう。実は、書くという行為は「小説家になりたい！」と思ったその日から始められる手軽な第一歩なのだ。

書く方法はさまざま

小説家と聞いて原稿用紙に向かっている姿をイメージする人は、現代ではもう少ないかもしれない。実際に、手書きしている人はほとんどいないだろう。では、どんな執筆方法があるだろう。おすすめなのはやはりパソコンだ。タイピングに慣れるまでは使いづらいかもしれないが、慣れてしまえば自然と手が動くようになるし、大きな画面で確認しながら執筆ができる。次に、スマートフォンやタブレットという方法もある。小中学校の授業で使用するデバイスがパソコンからタブレットに変化した現代の十代〜二十代の人なら、こちらで執筆する人も多いかもしれない。スマートフォンの良いところは、電車の中や待ち時間などのちょっとしたスキマ時間にも執筆ができる点である。フリック入力をマスターすれば、入力速度もさほど気にならないだろう。

2章
プロを目指す

1 あこがれのライトノベル作家

理想のライトノベル作家像

「ライトノベル作家になりたい」。

それはつまり「プロの小説家」になりたいということだ。

あなたはどんなライトノベル作家になりたいのだろうか。人気作品をたくさん出して、コミカライズやアニメ化されて……という夢が膨らむ人も多いだろう。それもライトノベル作家を目指す動機としては十分である。「必ず実現してやるんだ」という意気込みがあれば問題ない。

しかし、まずは一旦落ち着いて、現実的な目線で「ライトノベル作家」という職業を見てみよう。

専業作家になれるのはほんの一握り

いきなりあなたの夢を打ち砕くようで気がとがめるが、大前提として理解しておくべきは、作家業だけで食べていくのは本当に厳しいということである。副業をせず、作家業だけで生活している人のことを「専業作家」という。専業作家として生活ができるような人は、一年に何冊も小説を書いているだけでなく、雑誌で連載を持っていたり、コラムを書いていたりと小説家として複数の仕事を持てるような人である。多くの小説家は、デビュー当時に勤めていた会社で働き続けたまま、帰宅後にこつこつ執筆活動を続けるのが一般的。有名な小説家でさえ、ある程度小説家としての収入や人気が安定するまで仕事を続けていたという人が多い。

もちろん中にはデビュー作が爆発的に大ヒットして一気に人気小説家に上り詰めるような人もいる。しかし、そのような小説家は年間何冊も続編や新作を出し、読者に新しい作品を提供し続けるだけのエネルギーがある人だ。

特に、ライトノベルの読者層というのは、レーベルにもよるが若い世代が多い。若年層は興味の移り変わりも早いので、続編が出るのに時間がかかってしまうと飽きられてしまう恐れもある。せっかく面白いと思ってくれた読者を繋ぎ止めるためにも、プロになったら三カ月で一冊は出していきたい。しかし、この短いスパンで書き続けるというのが難しい。一作終わったらすぐに次のプロットを考え、プロットにOKをもらえたら休む間もなく執筆に入る。執筆が終われば修正をして脱稿したらまた次の作品に取りかかる。

つまり小説家に向いているのは、物語を考えたり書いたりするのが好きで、書き続けるだけの根性とエネルギーがある人なのだ。

新人作家にとって難しい二冊目

念願のデビュー作が発売され、読者の反応も上々となれば、当然続編や二作目の話が出る。しかし、新人作家にとって最初の難関はこの二冊目の本を出すということ。そもそも、一冊目の本が良い結果を残さなければ二冊目に繋げることは難しい。新人賞受賞作であったり、ネット小説で執筆していた作品の商業化であれば、一冊目はそれなりに売れる可能性もある。だが、二作目以降は必ず出るという保証はない。なぜなら、担当編集にプロットが通り、さらにそれが出版社内の企画会議で通らなければ本は出ないからである。運良くデビューができても、プロットが通らず挫折するという人もいる。つまり、書きたくても書けないということも覚悟しておこう。

書き続ける体力を身につける

ここまで聞いて、「自分には難しいかも」「そんなに強い意志はない」と不安になってしまった人もいるかもしれない。しかし、勘違いしないでほしいのは、あなたを不安にさせたいのではなく、リアルな小説家事情を知り、プロになった時に備えて、今からできる準備をしてほしいのだ。

ライトノベル作家とは

ライトノベル作家とは

作家の中でも、ライトノベルレーベルでデビューした人、
またはライトノベル専門で書いている作家

デビューできても…

専業作家で食べていくのは難しい

トレーニングしよう！

- 毎日原稿用紙１枚分を書く
- １日１つ、アイデアを考える

など

プロになる前に
基礎体力を
つけておこう！

前述したように、小説家は待っている読者のために、どんどん作品を書いて発表していかなければならない。それにはとてつもない精神力と体力が必要だ。

だが、実はこれは訓練次第で自然と身に付くものでもある。一章で「まずは書くことを始めよう」と言ったが、毎日原稿用紙一ページ分で良いので書き続けることでそれは習慣になる。執筆を習慣化すると、原稿を前にした時、意識せずとも自然と集中できるようになったり、文章が思い付くようになったりするだろう。

これはプロットも同様で、毎日一つアイデアを出すと決めて続けてみよう。最初は一つ出すのに時間がかかっていても、続けていくうちに少しずつアイデアの思い付く速度が速くなったり、具体的な案を考えられるようになっていく。

また、アイデアも溜まり、いざプロットを作ろうと思った時に参考になる素材があるので、ゼロから考えるよりも作りやすいだろう。

あなたはまだプロにはなっていない。それをチャンスだと考えて、準備ができる今のうちに小説を書くための体力作りをしておこう。

2 小説は商品

求められるクオリティー

趣味の小説とプロの書く小説では、読むために対価（費用）が発生するという点で明確な違いがある。同人誌などの自費出版は、プロでなくとも料金が発生するが、この場合、書き手がアマチュアであることをみな承知して購入している。そのため、多少の誤字脱字や乱丁にも、目くじらを立てて怒るような読者はいないだろう。

しかし、いわゆる商業作品は出版社が発行し、きちんとしたルートで市場に出ている。これは、最低限の品質が約束されたものだといえるし、読者もそのつもりで購入している。想像してほしい。もしも購入した小説の文章が読みづらかったり、誤字がたくさんあったり、設定が途中で変わっていたりしたらどうだろうか。物語に集中できずストレスになるし、そんな本に何百円、何千円も出したことを悔やむだろう。

出版社側としても、自社商品に不備があっては信用問題になるので、クオリティーの管理は重視したいところだ。そのため、編集者は作家の書いた作品を入念にチェックする。商業作品にはふさわしくない表現や、文章力、物語の矛盾やキャラクターの設定など、さまざまなことに意見をくれるだろう。それはより良い作品にするための指摘であり、あなたはそれに応える義務がある。とはいえ、あなたなりのこだわりがあるのなら、しっかり説明して、編集者との話し合いで解決できれば、必ずしもすべて言われた通り修正する必要はない。プロとして書く小説は「商品」だということは念頭に入れておこう。

また、指摘をしてくれるのは編集者だけではない。校正者と呼ばれる、設定や作中に登場する情報に間違いや矛盾点がないかを調べてくれる専門家がいる。例としてはミステリー作品や時代小説など、間違いがあってはいけない作品について校正を入れることが多い。素人では気付かないような細かな点まで発見する、頼もしい存在だ。

3 プロの小説家とは

ここでは、プロとして求められることや、どのような姿勢で作品に取り組めば良いのかを見ていこう。

読者目線を持とう

前項で、短いスパンで書き続けられることが大切だと紹介したが、実際にはそれだけで小説家を続けていくことはできない。売れる小説を出し続けていくことが求められるからだ。では、売れる作品とはどのようなものだろう。一つには、読者目線を持った作品である。読者目線とは、「読者の求めること」という意味を指す。読者の好む作品の流行や興味を敏感に察知し、作品に取り入れ、読者のニーズに合うものを作り出す必要がある。これは小説に限らずどんな商品にも言えることだろう。消費者の求めるものを考えて商品化することでヒット商品に繋がる。

「でも、それじゃあ自分の書きたいものが書けない」

それも素直な気持ちだろう。けれど、プロの小説家として作品を作るということはそういうことである。商業作品では、「自分が好きなことだけを書きたい」は通らない。それでは作家の独りよがりな作品になり、読者の興味や共感を得ることは難しくなってしまう。

とはいえ、書きたいことをまったく書いてはいけないということではない。それでは作者も楽しんで書けないし、書くことが辛くなってしまっては長くは続かないだろう。読者目線を持ちつつ、自分のこだわりを作品に取り入れることができると良い。それが作家の持ち味になる。

もしどのように読者目線を持てば良いのかわからないのなら、自分ならどんな点を気にして本を選ぶかなと考えてみるのが良い。また書店に足を運び、並んでいる本のあらすじを読んだり、帯やポップに何が書かれているのかを研究したりするのも、旬な設定や流行のストーリーを知る方法である。帯には読者の興味を引くキーワードが必ず書かれているはずだ。

小説家に必要な能力　①コミュニケーション能力

一章でも少し触れたが、コミュニケーションは小説家にとって非常に重要である。プロットを担当編集者に提出した際、疑問点を質問されたり、おかしな点について指摘を受けたりする場合もあるだろう。そんな時、自分の言葉でちゃんと説明できなくてはいけない。ここであなたの想いをプレゼンできなければ、あなたが何を書きたいのかを伝えることは難しいし、意思疎通ができないと編集者側も不安になってしまう。

もしもあなたが人と話すことが苦手なら、普段から少しずつで良いので人と接する場に行く努力をしてみてほしい。アルバイトを始めてみるのも良いだろう。接客業ならお客さんと接する機会が増える。接客仕事は幅広い年齢層の人と話すことができるし、さまざまな人を見る機会を得られるという点でもおすすめだ。

また、あなたの作品が順調に売れれば、付き合うことになる出版社や編集者は一社・一人ではなくなるだろう。仕事ごとに担当編集者が変わるので、とても気が合う人もいれば、まったく意見の合わない人もいるかもしれない。そんな時に備えて、できるだけいろんなタイプの人と話す練習をしておこう。

小説家に必要な能力　②自己管理能力

原稿のスケジュール管理や進行管理、メンタル面や身体面での体調管理も大切だ。担当編集者はパートナーだと話したが、いざ執筆に入ればそこからは孤独との闘いだ。息抜きは必要だが度が過ぎると締め切りまでの時間が減る一方だし、仕事を続けながら執筆活動をしているなら寝る時間を削って書くという人もいるだろう。執筆環境や条件は人によって違うが、その中で快適に執筆を続けていくためにも、自身で管理していかなければならない。スケジュール管理・進行管理・体調管理まで含めて、小説家の仕事だということを覚えておこう。

4 小説家は一人きりで成り立つ職業ではない

小説家を支える人たち

小説家になりたい理由として「人と関わらず仕事がしたいから」という理由を挙げる人がいる。実際、一人でもできる仕事だというイメージを持っている人も多いだろう。趣味としてお話を構想し、執筆し、投稿サイトなどで公開しているのなら、確かに一人でも小説を書くことはできる。しかし、きちんとした流通ルートで本を出す場合は別だ。

プロになってまずあなたが関わる人。それは、担当編集者である。あなたの作品の一番の読者となって意見やアドバイスをくれたり、良い作品にするため奮闘してくれたりする〝パートナー〟的存在。彼らには、作品のクオリティー管理の役目もあるので、あなたの作品を商品として相応しいものになるよう、プロットから発売まで力になってくれる。

小説家が直接会って話をする機会があるのは担当編集者くらいであるが、本を出すためにはもっと多くの人たちが関わっている。そのほかの出版関係者（編集部の方や本を売ってくれる営業マンなど）、取材のための協力者、校正をしてくれる専門家、ＤＴＰデザイナー、印刷会社、出版取次、書店員、読者、などだ。加えて、原稿を読んで意見をくれたり、生活面で支えてくれるような友人や家族がいるのなら、彼らもまた協力者の一人といえるだろう。

編集者・ＤＴＰデザイナー・印刷会社・出版取次については次の三章で詳しく説明するので、ここでは割愛する。

本を出すために関わる人として、出版社の営業もとても大切な存在だ。あなたの本が書店に置いてもらえるのは、たくさんの書店に足を運びあなたの本を紹介してくれる営業マンの頑張りがあってこそ。ただ書店の棚に差さ

れているのと、お客さんに見える棚に平積みや面陳され、ポップやポスターで大々的に展開してくれるのでは、お客さんの興味の引かれ方も全く違う。

また、書店に何冊入荷し、どう本棚に置くのかを決めるのは書店員だ。営業マンがどれだけあなたの作品を紹介してくれても、最終的にどのように売り出すのかは書店員の采配次第ということになる。多くのお客さんは、買いたい本を目当てに書店に足を運ぶので気付きづらいかもしれないが、実は本の売れ行きには出版社の営業マンや書店員さんの頑張りが大きく関わっているということを覚えておこう。

特に、出版社の営業マンは小説家になってもなかなか会う機会のない相手である。あなたがプロになって売れた時、編集者を通して感謝を伝えてあげると良いだろう。

最後に忘れてならないのは読者である。彼らが本を買ってくれてこそ、小説家は本を書き続けていくことができる。支えてくれる読者への感謝は常に持っておこう。

小説家は一人きりで成り立つ職業ではなく、さまざまな人に支えられている仕事だということを感じていただけただろうか。

5 小説家になるための心得

プロとしての心得

プロの小説家とは、趣味ではなく、読者が楽しめるエンターテインメント小説を書く。そんな職業作家になった時、どんなことに気を留めて仕事をしていけば良いのか、四つのキーワードで紹介していく。

① 常にアンテナを立てる

既に少し触れたように、読者の求める作品作りをするためには、常に情報や流行の変化を敏感にキャッチし、取り入れていく必要がある。「異世界転生が流行っているんだな」「今はこんなキャラクターがウケるんだ」など、どんなジャンルにも流行というものは存在する。また、現実世界の社会問題などを知ることも、読者の共感を得るためには必要な要素だ。常に旬な素材を取り入れられるように準備しておこう。

② 社会経験を積もう

小説は引きこもっていても書けると思っている人もいるだろう。確かに、趣味で書く小説はそれで良いかもしれない。しかし、長く作家生活を続けていきたいのならやはり社会経験は必要だ。社会経験というのは、会社に就職しろという意味ではない。学校だって立派な社会だし、アルバイト経験もいろいろな人と接することのできる貴重な場だ。その他友人との付き合いや、恋愛だって良い。知っていることは多ければ多いほど、あなたの作品に強く影響を与えてくれるはずだし、キャラクター作りやネタを出す際の参考になる。また、知っていることはリアルな描写をする際の武器になり、読者の共感も得やすくなるだろう。

③強い心を持とう

作品を世に発表していく中で、あなたは感想という声を聞き、その度に喜んだり挫折を味わったりするだろう。多くの人の目に触れるということは、自分の作品に対して好意的に思ってくれる人もいれば、その逆もいるということ。だが、他人の意見に敏感に反応して落ち込む必要はまったくない。マイナスな言葉も一つの意見として捉えていく、そんな心持ちでいれば良いのだ。長く作家生活を続けていけば、スランプにぶつかる時もあるだろう。なかなかプロットが通らなかったり、書き上げた作品に編集者からたくさんの赤字を受けて落ち込んだりだ。そんな時も、心配しなくても良い。人気小説家でも、まったく指摘を受けない小説家なんてほとんどいない。あなたが落ち込む一番の理由は「自分が否定されたような気がする」からだろう。しかし、プロになったあなたはその時点であなたの書いた作品を商品として世に出せるだけの実力を認められている。悲観する必要などないのだ。

④根性

最後は「根性」。実は小説家には一番大切なものである。ここでいう根性とは作品を最後まで書き上げる強い気持ちのこと。意外とこれが大変で、最後まで書き上げるというのはなかなか労力が伴う。逆にいえば、ここのハードルを一度でも越えることができれば、小説を書き上げたという事実が自分の自信になり、より執筆を頑張る糧になる。物語を書き上げるというのは、ゴールではなく折り返し地点。またはスタート地点と考える人もいるだろう。小説を書き上げないことには、修正もできないし、新人賞にも応募できない。つまり何も始まらないからである。急に別の作品を書きたくなったり、設定作成で力尽きてしまったりとモチベーションを持続するのが難しい。一度原稿に手を付けたら、修正は完成後と考えて、振り返らず歯を食いしばり短期間での完成を目指すのがおすすめだ。

以上、四つの心得を胸に、創作活動を頑張ってほしい。

プロとして持っておきたい4つの心得

①常にアンテナを立てる

流行のジャンルやキャラクター、世間が注目していることに敏感になることで、時代に合った作品を書くことができる

②社会経験を積もう

学校や職場、アルバイトや趣味サークルなど、人と関わることも立派な社会経験。経験は物語に影響を与えたりキャラクター作りの参考にもなる

学 校　アルバイト　職 場　部活・サークル

③強い心を持とう

あなたの作品に対するネガティブな意見も、しっかりと読んでくれた証拠！　悲観的にならず、どうしたらもっと良い作品になるかを前向きに検討しよう

④根性

実は小説家に１番大切なもの　**最後まで書き上げる力＝根性**

小説を書き上げると、「書き上げることができた！」という達成感を得られ、次へのモチベーションにも繋がる

3章
本ができるまで

ライトノベルを書きたい、小説家になりたいと考えているだろうあなたは、書かれた原稿がどのように本になり売られるのかを知っているだろうか？　大きく三つの段階に分けると、執筆↓制作↓製本↓流通という流れがある。

本章では、小説家側からは見ることのできない視点も交えて、本が出るまでを追っていきたいと思う。

1　企画を立てる

企画書を会議に出す

本作りの基本は企画書から始まる。

フリーライターからの持ち込みや、出版社に所属する編集者の企画書が、出版社の企画会議に通される。

ここで話し合われるのは書籍の内容・本を出す目的・ターゲット読者層・本の想定価格と売り上げ見込みなどだ。

企画を持ち込んだ人間がプレゼンテーションをし、企画が通れば本の出版が決まる。これを小説に置き換えると、プロットが企画書ということになる。マンガならネームと考えると、イメージしやすいかもしれない。

あなたはまず、自分の作ったプロットを企画会議で通してもらうために、考えたプロットを担当編集者にプレゼンテーションする。この段階でプロットを詰め、担当編集者が面白い、売れると思ってくれれば、出版社の企画会議に通される。

そこでは担当編集者が作家に代わって作品の素晴らしさをプレゼンテーションしてくれる。つまり、企画会議で頑張ってくれる担当編集者がいて、初めてあなたの作品が本になるかが決まるのだ。

時には企画会議で出た意見をもとに修正を求められることもあるだろう。出版社を通して世に出る本は「商品」であるのだから、それに見合ったクオリティーが求められるのは当然のこと。素直な気持ちで意見を受け止めよう。

2 原稿を執筆する

企画書が通ったら

編集者から企画会議通過の連絡が来たら、執筆のGOサインである。この時、原稿の締め切りはきちんと確認しておこう。仕事をしていたり学生であれば、執筆にあてられる時間に限りがある。毎日少しずつ執筆していく人が大半だろう。ほとんど長編の執筆経験がないのなら、執筆期間の見積もりを出すのは難しいので、少し余裕を持ったスケジュールを考えておくのが良い。

執筆とは、ただ文章を書くだけではない。取材に行ったり、参考になる文献を読んだりと、情報収集も必要だ。担当編集者に進捗の報告をし、必要なら打ち合わせを重ねることもある。この時、不安なことや、取材方法や文献の探し方などを相談しても良いだろう。あなたが困っていれば、できる限りの協力をしてくれる頼もしい味方だ。

こうして初めて書き上げた原稿を「初稿」という。大抵は誤字・脱字があったり、おかしなところがあったりと、商品にするには手直しが必要な状態で仕上がることが多いが「初稿」はそれで良い。

仕上がった原稿はまず自分で見直して修正をする。この作業を「推敲」という。自分で確認して完成だと判断したら担当編集者に読んでもらおう。その後編集者からストーリーへの意見や指摘が戻ってくるので、修正をし、こだわりのあるポイントは編集者と話し合いをすることになる。この作業を「二稿」「三稿」と繰り返しブラッシュアップしていくことで、あなたの作品は「商品」としてクオリティーの高いものに仕上がるのだ。

そして、あなたと編集者で二人三脚で作り上げた作品が、OKとなれば完成となる。

どうだろう。あなたが思っていた以上に、編集者というのは担当作家の作品のために尽力してくれる存在だったのではないだろうか。さて、次項からは、本になるまでの過程を見ていこう。

3 ＤＴＰデザイン

原稿が提出されたら

編集者のＯＫが出ると、原稿は一旦あなたの手を離れることになる。大抵の場合、提出後どのようなことが起きているのかを知る作家は少ない。ここでは二つめの段階、「制作」に関わる工程として、印刷して製本するため印刷会社へ提出する入稿データの作成について紹介する。どのような人が関わり、修正が行われ、著者はどのように関わるのかを見ていこう。

ライトノベルの場合は大抵、表紙にイラスト、本文に「挿絵」と呼ばれる一枚絵が一冊に数枚入る。読者にとっても楽しみな要素だろう。まず初稿が上がったタイミングでイラストレーター（またはマンガ家）へ細かなキャラクター設定や初稿原稿などを渡し、キャラクターラフを描いてもらう。普通は初稿から全く違う話に修正されるということはほとんどないため、初稿を読んでもらい、物語の世界感やキャラクターのイメージを固めてもらうのだ。だからこそ、締め切りを守って原稿が上がると、イラスト制作も無理のないスケジュールで進めることができると覚えておこう。

こうして原稿とイラストが揃ったら、次はＤＴＰデザインの作業になる。ＤＴＰとは「Desktop Publishing」の略で、日本語では「机上出版」や「卓上出版」といわれる。なぜ「デスクトップ」なのかというと、それまでは細かい作業ごとに専門家がいたが、専用のソフトとパソコンがあれば誰でも簡単に作業ができるようになったからだ。現在ＤＴＰに関わる人はＤＴＰオペレーターやＤＴＰデザイナーといわれる。以前はオペレーターとデザイナーの役割も分担されており、ＤＴＰデザイナーは文章・写真・イラストなどのレイアウトを考えてデータを作る人、Ｄ

TPオペレーターはデザイナーの作ったデータに修正や加工を加え、印刷できるデータに仕上げる人であった。しかし、現在は両方を兼務しDTPデザイナーと呼ばれることが多い。

原稿の完成データは挿絵イラストと揃ってDTPデザイナーに渡される。デザイナーは受け取った原稿をDTPソフトによって作られたページへ流し込みを行う。あらかじめ、文字組（一ページ何文字×何行か）が設定されており、作家はこの情報を執筆を始める前に教えてもらえる。

DTPソフトの現在の主流はAdobe社の「InDesign」だ。ただ原稿を流し込むだけでは、完成にはならない。一章でも紹介した字下げがされているか、「……」「——」の表記は問題ないか、算用数字が紛れていないか、「!」「?」といったマークが半角になっていないかなど、体裁を整えていく。漢字に「ルビ」と呼ばれる読み仮名を振るのも、DTPデザイナーの仕事だ。どの漢字になんのルビを振るのかの指示は、多くの場合作家本人や編集側から原稿に直接指示が入っているため、指示に沿って入力していく。

DTPデザイナーによって流し込みと体裁の調整が終わったものは一度紙に印刷され、専門の人が確認することになる。これを「校正」といい、ここで誤字脱字や内容に関する指摘（矛盾点など）が入る。そして、校正は確認のため著者に回される（校正紙）。著者は校正を見ながら、指摘部分の修正方針を返答し、この時気付いた修正点や新たなルビなどがあれば修正指示を追加する。この作業は「著者校正」と言われ、通常著者が原稿の内容にタッチできる最後のチャンスだ。

これらの修正が入った「校正紙」は再びDTPデザイナーに戻され、修正の指示に従ってデータを直していく。文章に関わる修正の場合も短い文字修正ならデザイナーが直接修正を加えるが、長文の修正になる際は、著者が差し替え原稿を用意し、編集者に預ける場合もある。

問題がすべてなくなったら、印刷用のデータとして編集者から印刷会社に渡される。これを「入稿」といい、印刷会社はデータの不備がないか、最終的な確認を行う。ここで入稿してすぐに本になるわけではない。最終チェックのため、「白焼き」という本番と同じ条件の原寸サイズで印刷されたものが出され、出版社に送られてくる。この白焼きを見て編集者は印刷された状態で最終チェックを行う。ここで何かあれば最後の修正が行われ、通常はこれで完成だが、時間があれば再校正が出る場合もある。

このような段階を踏み、すべてのチェック&修正が完了してデータは印刷会社に託される。これを「校了」といい、編集者の手からも離れ、その後は印刷会社の担当となる。次に編集者の手元に戻ってくる時は、印刷と製本の済んだ、書籍として完成した状態のものということだ。

カバーと帯

本のカバーや帯、本体表紙のデータを作るのもＤＴＰデザイナーの仕事である。本文データを作成したデザイナーがこちらも担当するかは、出版社や案件によって異なる。

また、本の顔である表紙のデザインは装丁を得意とするデザイナーに発注されることもある。挿絵の入る作品であれば、挿絵を担当したイラストレーターの描いた表紙イラストを基に、デザイナーは作品タイトルや著者名など必要な情報を、作風やイラストの雰囲気に合うようにデザインして入れることになるのだ。

表紙画像は宣伝のため発売前に必要とされるので、本文よりも早いタイミングでの入稿となることが多い。表紙や帯なども、本文と同じように最終チェックが可能で、こちらを「色校正」という。

マンガと違い、小説の場合は著者がカバーや帯の色校正をチェックすることはあまりなく、担当の編集者が確認をしてくれる。

色校正は文字通り色味の確認がメインだ。例えば、カバーの表面をツルツルにする加工（ＰＰ加工）を行うと、赤味が強く出てしまうことなどがあるため、イメージ通りの色味になっているかチェックする。もしも色味を修正をしたい場合は、印刷会社にどのようにしたいかを伝え、印刷会社の方で調整してもらう。

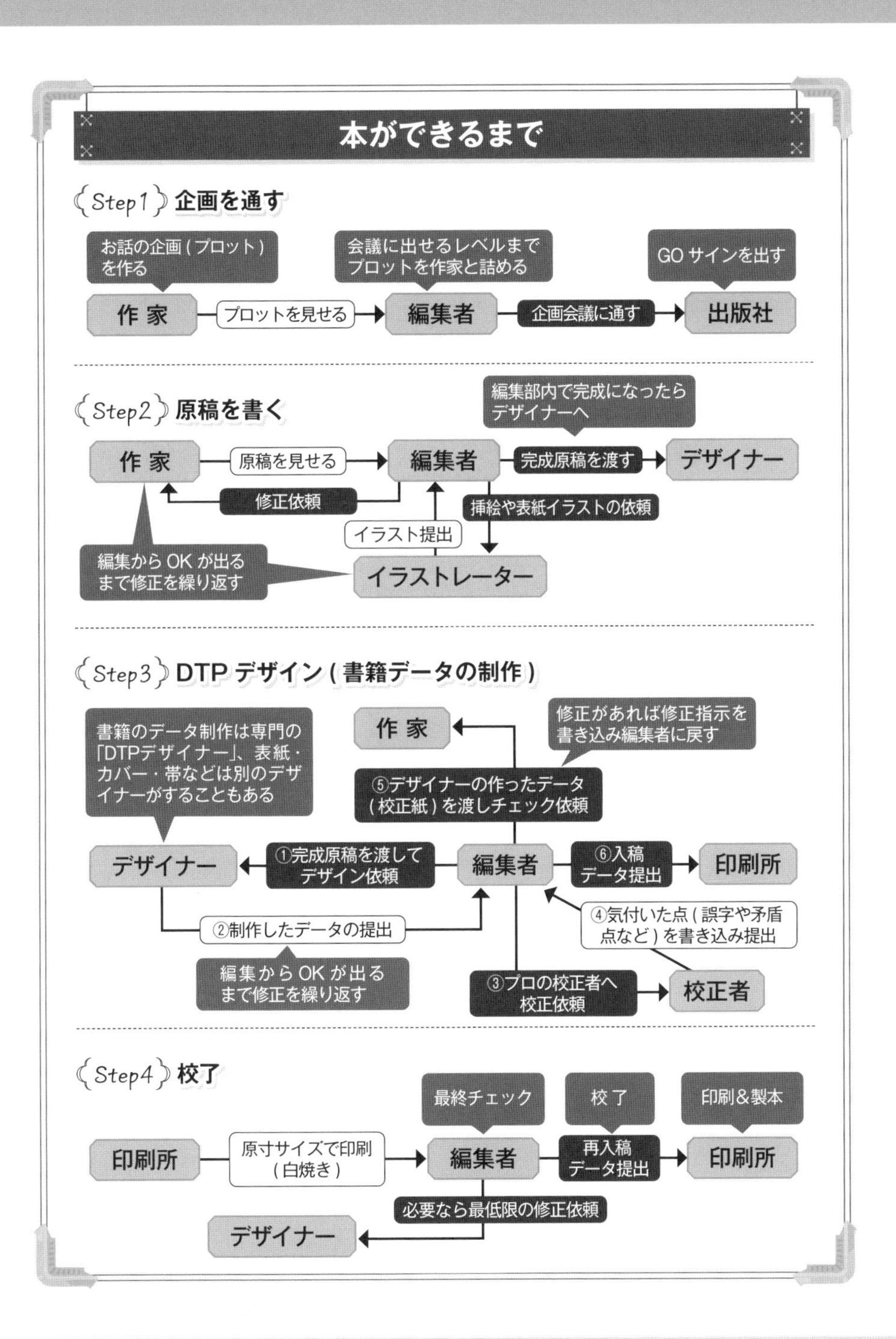

本ができるまで
Step1 企画を通す
お話の企画(プロット)を作る
会議に出せるレベルまでプロットを作家と詰める
GO サインを出す
作 家
プロットを見せる
編集者
企画会議に通す
出版社
Step2 原稿を書く
編集部内で完成になったらデザイナーへ
作 家
原稿を見せる
編集者
完成原稿を渡す
デザイナー
修正依頼
挿絵や表紙イラストの依頼
イラスト提出
編集から OK が出るまで修正を繰り返す
イラストレーター
Step3 DTP デザイン(書籍データの制作)
作 家
修正があれば修正指示を書き込み編集者に戻す
書籍のデータ制作は専門の「DTPデザイナー」、表紙・カバー・帯などは別のデザイナーがすることもある
⑤デザイナーの作ったデータ(校正紙)を渡しチェック依頼
デザイナー
①完成原稿を渡してデザイン依頼
編集者
⑥入稿データ提出
印刷所
②制作したデータの提出
④気付いた点(誤字や矛盾点など)を書き込み提出
編集から OK が出るまで修正を繰り返す
③プロの校正者へ校正依頼
校正者
Step4 校了
最終チェック
校 了
印刷&製本
印刷所
原寸サイズで印刷(白焼き)
編集者
再入稿データ提出
印刷所
必要なら最低限の修正依頼
デザイナー

4 「流通」と「販売」

「流通」と「販売」を経て読者のもとへ

さて、ここからは三つ目の段階、「流通」について解説していこう。

あなたは「問屋」という言葉を聞いたことがあるだろうか。販売元と店を繋ぐ存在で「卸売業者」とも言われる。出版業界には専門の問屋が存在し、「出版取次」と呼ぶ。本が好きな人なら大手のトーハン、日本出版販売、楽天ブックスネットワーク（元大阪屋）などは聞いたことがあるだろう。彼らが出版社の代わりに受注して書店へと配本し、読者の手元に届く。これが、書店に並ぶ本の一般的な流通方法だ。

近年ではコンビニなど書店以外でも本が手に入るようになり、販売のスタイルは多様化している。Ａｍａｚｏｎやｈｏｎｔｏなど、人々の生活に密着したネット通販が普及し、家にいながら本が買えるという手軽さから書店に行かない人も増えている。また、場所を取らない、どこでも読めるという理由で電子書籍の普及も著しい。電子書籍専門の出版社や、出版社や作者からコンテンツを預かり国内外の電子書籍販売会社に供給する「電子書籍取次」というものもある。読者から見れば作品が読めるという点では同じだが、出版業界は時代に合わせて大きく変動しているのだ。

「重版」と「絶版」

紙媒体の書籍は、書店に置かれなければ買ってもらえない。少しでも長く書店で売り続けてもらうため、「重版（追加印刷）」は大きなキーポイントだ。重版は作家にとっても大きなメリットがある。作家への報酬は、本の売り上げの何パーセントかを「印税」という形で支払われる。何パーセントなのかは出版社により異なるので、契約をする際にきちんと確認しよう。そして、重版が決まるとその発行部数で計算をして追加の支払いがされる。また、重版されると帯やポップ、近年ならＳＮＳなどで宣伝してもらえることもある。「重版」＝売り上げが良い、人気作というイメージがないだろうか。「重版」という言葉だけで十分作品の宣伝になるし、アピールポイントにもなるのだ。

では、反対の「絶版」とはどのような状況で起こるのだろう。書店は売れている本や新刊のために売り場をあけたい。そのために売れない本は返品されてしまう。その数が増えれば、出版社は「絶版（もう販売はしない）」という判断に踏み切るだろう。残された在庫は、保管にも維持費がかかるため廃棄されてしまう。

しかし、読者からは「絶版」なのかその手前の「品切れ・重版未定」という状態かは分からない。作者においても、絶版通知で知らされるかどうかは出版社によって対応が異なり、大抵の場合「品切れ・重版未定」の状態になっていることが多いだろう。もちろん、書店側に在庫があり返品をされない限りは店頭に並び続けるが、版元の在庫がなくなってしまうため、新たな受注がきても入荷対応ができなくなってしまう。書店に並ぶまでに愛情や手がかかっていても、出版社からすればそれは「商品」であり、売れない商品に対する判断はとてもシビアである。

また、絶版には売れ行き不調による絶版の他に、作者による不祥事で「絶版」に追い込まれるケースもある。社会的なニュースになるような事件を起こしたり、悪質な盗作が発覚したりするのがそのパターンだ。作品のファンは、作者のファンでもある。つまり、作者も作品の顔の一部ということ。親の責任で子供である作品が世に顔出しできなくなってしまうのはあまりにも悲しい。そんなことが起きないように、作品に取り組んでいこう。

電子書籍に絶版はない

電子書籍は発行部数の代わりにダウンロード数がカウントされる。ダウンロード回数＝購入数と同じなので、数が大きいほど人気作であることは間違いない。また、在庫の概念がないので、重版も絶版も存在しないのだ。

近年ではマンガなどで電子書籍配信が先行する作品も多く、ダウンロード数が良いとのちに紙媒体となり書店へ流通されるケースも増えてきている。確実に売れている作品だけを印刷するので、版元にとってのリスクも少ないのだろう。

リアル書店とインターネット書店

現在、当たり前のように通販で書籍を購入できる時代になったが、あなたは街に店舗を構えるリアル書店とインターネット上の書店のどちらで書籍を購入しているだろうか。または、どちらで買うのが良いのか、という点について考えたことがあるだろうか。

リアルな書店での売り上げ、インターネット書店での売り上げ、電子書籍の売り上げ。どれも同じ売り上げには変わらないが、できることならリアル書店での本の購入をおすすめしたい。それは、先に少し触れた返品と絶版に関わるからである。

リアル書店に配本された本は、店頭で売れなければ返品される。返品された本は在庫として出版社が抱えることになり、これが膨大な量になれば廃棄するしかなくなってしまう。それを避けるためには、在庫の存在しない電子書籍や、Ａｍａｚｏｎのような買い切りで在庫を持っているネット書店よりも、リアルに在庫が動く店頭の書籍を少しでも多く購入してもらうことが重要となってくる。

このような行動は読者にとってメリットがないと思うかもしれない。しかし、在庫が残り、売れていないと判断されると、あなたの大好きな作品が絶版や打ち切りになってしまうかもしれない。また、店頭で買うことで街の本屋さんの売り上げに貢献することにもなるし、出版社としても在庫を抱える心配がなくなる。さらに、小説家にとって紙の本の売り上げは大事な実績になる。

こうして街の書店で本を購入することで本の流通が巡り、関係者みんなの助けになるのだ。

流通と販売のしくみ

出版取次

出版業界専門の問屋

トーハン・日本出版販売
楽天ブックスネットワーク（元大阪屋）　など

一般的な本の流通

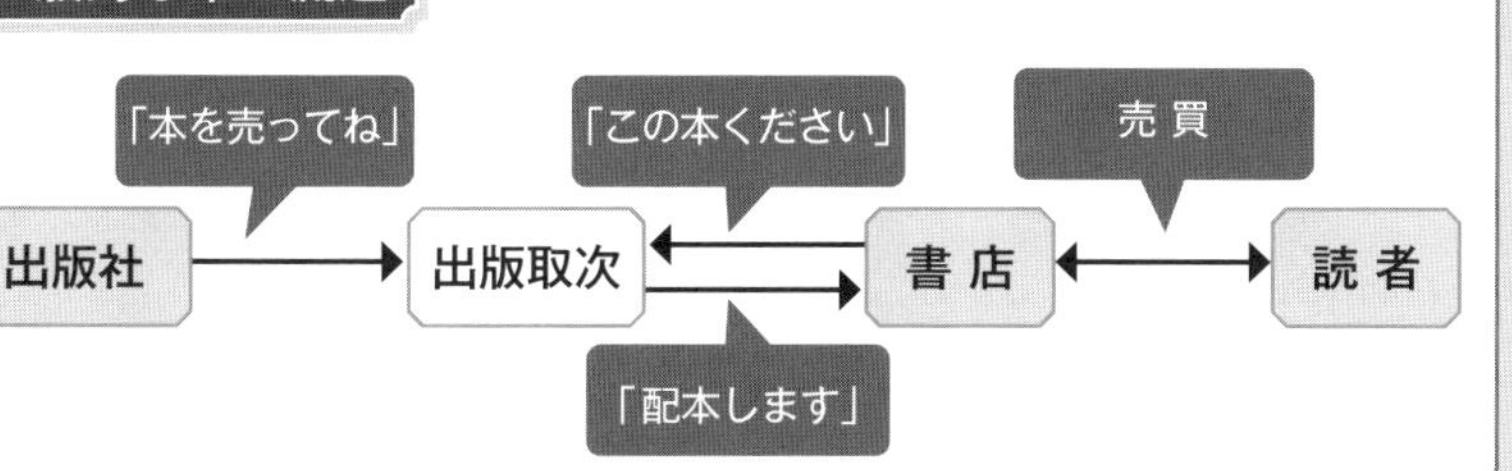

ネット書店・電子書籍の流通

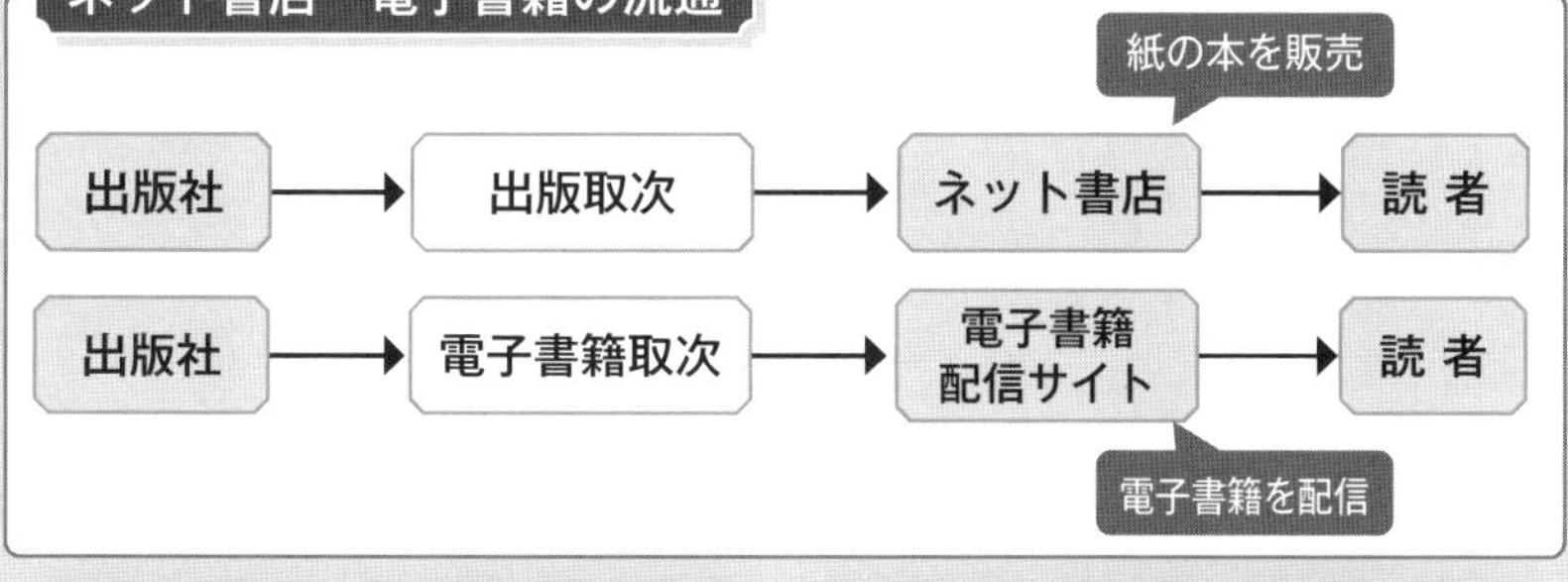

重版とは

初版が発売後、売れ行きが好調の際に追加で印刷をすること。作家にとっては作品が売れている証になる大切な目安

絶版とは

売れ行きの不調などで、もう販売をしないと判断された状態。在庫が売り切れ、または廃棄された場合、購入できなくなる

電子書籍の強み

データである電子書籍は返品されることはない。ダウンロード数が売り上げと同様に評価される

絶版作品の再起・抜け道　～電子書籍で復刊～

前述の項目（44ページ）で、「絶版」になると再び書店へ流通することが難しくなると説明したが、一度絶版した書籍でも再び読者に読んでもらう方法がある。それは、電子書籍という形で復刊することだ。復刊とは、販売が止まっていた書籍を再び刊行し売ることをいう。

まず、「絶版」とはどのような状態なのだろう。簡単に言うと、流通が止まり、出版社から出版権が解除された状態と考えられる。ただし、契約時の内容によって必ずしもその状態とはいえないため、行動を移す前にどのような契約になっているか確認が必要だろう。

もし、間違いなく出版権が切れているのなら、あなたの作品はあなたの意思で、別の出版社から本を出すことができる。しかし、紙媒体で復刊するのは難しい。そこで、電子書籍という手段である。現在電子書籍の普及に伴い、原稿を渡すことで電子書籍用のデータを作成してくれる委託会社も存在する。さらに、ジャストシステムの販売するワープロソフトの「一太郎」など、一般人が電子書籍用データを手軽に自作できるソフトも増えているので、できるだけ安価に復刊したい人は自分で頑張ってみるのも良いだろう。

加えて、Ａｍａｚｏｎの運営するＫｉｎｄｌｅやＢＯＯＫ☆ＷＡＬＫＥＲといった大手配信サイトでも、出版社を通さずとも個人出版本の販売をしてくれる。

このように、本を世の中に出すことのハードルは、以前に比べて低くなっているといえる。また、電子書籍のレンタルサービスの普及も著しい。多くの作品が単話配信されているため、試し読み感覚で一話から気になる作品のレンタルができる。そこで面白ければ紙媒体で購入するという人もいるようだ。

絶版したらそこで終わりではない。それを覚えておいてほしい。

4章
アイデア力を磨こう

1 生活の中にアンテナを立てよう

情報収集は生活の中から

二章の「プロを目指す」で常にアンテナを立てることの大切さを説明した。では、具体的にどのように生活をすれば良いのだろうか。日常生活の中で小説に生かすことのできる情報とはどのようなことだろう。

街や電車の中で見かけた人や、飲食店で耳に入る他人の会話などは、キャラクター作りやセリフを考える際の参考になる。キャラクター同士の軽快な会話を考えるのが苦手な人なら、学生など若者の会話に耳を傾けると面白いやり取りが聞けるかもしれない。もし社会人を主人公に話を書きたいのなら、駅のホームや喫茶店などで話しているサラリーマンの会話が参考になるだろう。

次に、テレビニュースや新聞で報じられている事件や政治情勢なども貴重な情報である。タイムリーな社会問題をテーマにした作品や風刺ネタを入れたい時に役立つだろう。社会問題をテーマにすると、読者の共感を得やすい。一方で、その問題に反対的な意見を抱いている人も一定数いるはずなので、中途半端に扱うよりはきちんと勉強してから取り入れた方が良いだろう。

他には、ファッション誌などもおすすめだ。流行のファッションを知ることができるし、掲載されているインタビューなどから、旬な芸能人やアイドルについても分かる。また芸能人のインタビュー記事はキャラクター作りの参考にもなるだろう。ファッション誌は美容室や図書館などでも読むことができるので、ぜひ参考にしてほしい。

また、ＳＮＳで盛り上がっているワードを調べてみるのも良い。どんな話題が人々の注目や共感を集めているのか知ることができる。ただし、ＳＮＳなどのネットの情報には嘘など、悪意の込められたものも多い。ネットで見かけた情報の解釈や取り扱いには十分注意しよう。

以上のような何気ない日常の風景はリアルな描写に繋がる。逆に、当たり前な日常を知った上で、その正反対のことを創作すれば、それだけで突拍子のない世界になるかもしれない。日常の観察を習慣化してみよう。

積極的に外へ出よう

インターネットがあれば世間を騒がせているニュースや話題を知ることは簡単である。しかし、家の中から春の風の暖かさが感じられるだろうか。水たまりで泳いでいるおたまじゃくしに気付くだろうか。近所のお店が閉店したことを知れるだろうか。どれも家の中に引きこもっていては自分の体で感じることのできないものだろう。

外に出て初めて触れるものや目にするものは、視覚・聴覚・嗅覚・味覚・触覚の五感で感じて初めて生のものになる。文章でリアリティーのある描写をしたいのなら、この生の感覚がとても大切だ。

「外」というのは、決して家の外という意味だけではない。あなたの行動範囲外も指す。普段とは少し違うことをしてみるのも、新たな発見に繋がる。例えば通学や通勤時、学校や会社の最寄り駅より前の駅で降りて、一駅分歩いてみてはどうだろう。普段は電車の中から眺めていた景色も、そこに立って歩いてみると見え方や感じ方は全く違うはず。気になるお店が見つかったり、創作のアイデアが浮かぶような発見があるかもしれない。知らないところをいきなり歩くのが不安なら、普段より一時間早く家を出るのはどうか。早めに出たついでに、どこかのカフェでモーニングを楽しむのも良いだろう。早朝の喫茶店にはどんな人がいるか、それもまた新たな発見だ。

今まで自分がしてきたことと少し違う行動をするだけで、同じ場所も普段とは違って見えてくる。創作のアイデアというのは、意外とそんな些細な変化の中に隠れている。前述した日常の観察はその場にあるものから何かを発見するという、どちらかといえば受け身のスタンスである。可能なら自分から行動を起こし、アイデアを探しに行くことも大切だ。平日がどうしても忙しいのなら、月に一回でも良いので休日を使って初めての場所や気になっていたところへ足を運んでみよう。メモやカメラの準備も忘れずに。

2 自分の経験を生かす

興味があるものを作ろう

作品のアイデアや物語の題材を考えるとき、何か面白いものはないかなと外へ目を向けがちだ。しかし、実は自分自身が肌で感じた経験や知識は、何物にも代えがたい貴重な素材と言える。

「でも特に変わった経験なんてしてないし」

そう思った人もいるかもしれない。物語の題材になるような経験というのは、決して変わったことである必要はない。

例えば、ドラマ『半沢直樹』などでブームとなった小説家の池井戸潤氏の作品には、多くの銀行マンが登場する。小説家になる以前、池井戸氏自身が銀行員であり、その経験や知識が作品に生きている。また、バレーを題材にした人気マンガ『ハイキュー!!』(ジャンプ・コミックス)の作者、古舘春一氏は実際中学・高校時代にバレー部に所属していた。経験者だからこそそのリアルな描写が魅力的な作品となっている。

このように、自身の経験を生かして成功した作品はたくさんある。

あなたには「これだけは誰にも負けない!」という趣味や特技があるだろうか。誰にも負けないものがあるのなら、それはあなたの強みだ。それを題材にすれば、他の人には書けない物語を作ることができる。

趣味・特技といっても、スポーツや料理といったものでなくても良い。「読書が好きだから読書量なら誰にも負けない」という類でも十分である。たくさんの本を読んでいるなら、それを生かせるような物語を作れば良い。

オタク趣味だって十分得意分野といえるだろう。近頃ではオタクネタや腐女子ネタが一般に受け入れられるようになったこともあり、オタク文化がテーマになった作品も多数存在する。特に、オタクあるあるネタはそれだけで

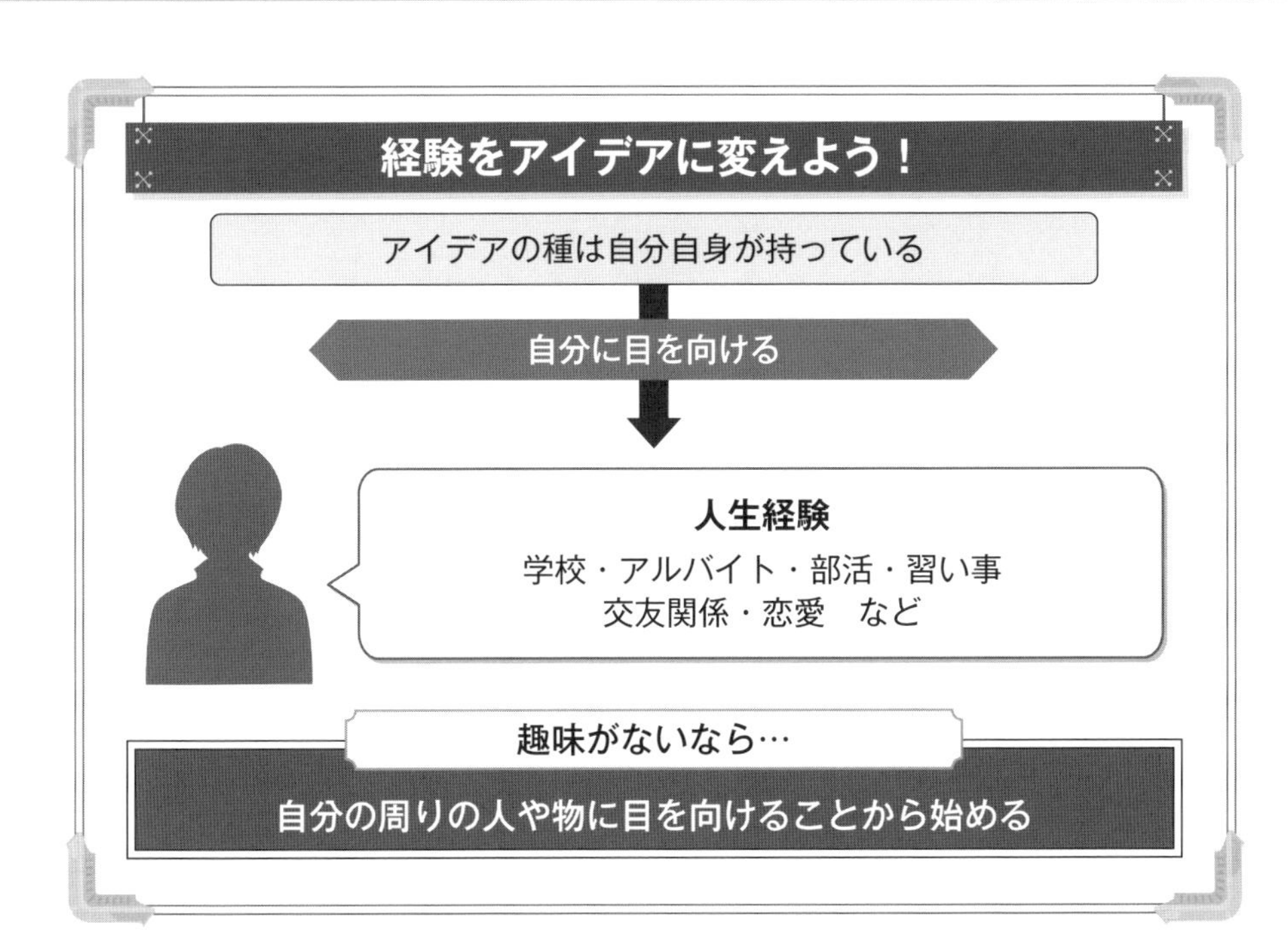

共感を得られるため読者からの親近感を得られ、人気が出やすい。

得意な分野というのは必ず誰かの趣味に刺さる。好きなものがあるのなら、それを全面に押し出した作品を考えてみてはどうだろう。

趣味がないなら興味を持とう

趣味というのは、無理に作るものではない。好きだからこそ自然に詳しくなり、のめり込んでいくものだ。とはいえ、何もないよりは何かあった方が小説家としての視野が広がるし、趣味を通していろんな経験ができるかもしれない。

まずは周りに興味を持つことから始めてみよう。ライブに行ってみたり、スポーツや習い事を始めてみたり、まだ経験したことがないことには積極的に挑戦してみると良い。自分には向かないと思っていたことでも、始めてみたら才能が開花するということもあり得る。

また、もしかしたら、自分では当たり前になっているだけで、他の人から見たら特殊な環境にいる可能性もある。一度自分自身を振り返ってみるのも良いだろう。

3 発想法

小説を書くためには、お話の基となるアイデアやネタが必要だが、「考えるのが苦手」「いつも時間がかかってしまう」という人もいるだろう。そういった方にも簡単に始められる二つの発想法を紹介しよう。

連想ゲームで発想を広げよう

話のネタを考える時、何もないゼロの状態からアイデアを出すのは難しいものだ。ちょっとしたことからすぐにインスピレーションが湧いたり、書きたい話が次から次へと溢れてきたりする人もいるが、そんな人ばかりではない。ここでは、キーワードを使った発想法を紹介しよう。

やり方はいたってシンプルで、書き込みのできる紙を用意し、そこにキーワードを記入していく。キーワードから新たなキーワードへと、連想ゲームのように出せるだけのキーワードをどんどん出していく方法である。

例えばスタートのキーワードが「白」だとしよう。「白↓雲・シャツ」と二つのキーワードを出す。それをさらに「雲↓空」「シャツ↓スポーツ、社会人」といった具合に、出てきたキーワードをどんどん枝分かれに広げていくのだ。そしてある程度広がったところで、その中から気になるキーワードをいくつかピックアップし、それを基にしてお話を考えてみる。

一見全く関係のない複数の言葉に見えても、同じ言葉から発想されていると意外と相性が良かったり、お話のアイデアが出やすかったりする。キーワードのチョイスによって、ストーリー案は幾通りでも考えられる。

カード発想法

これは連想ゲームの発想法と少し似ている。

カード発想法

発想力の訓練におすすめな２つの発想法

連想ゲームで広げる発想法

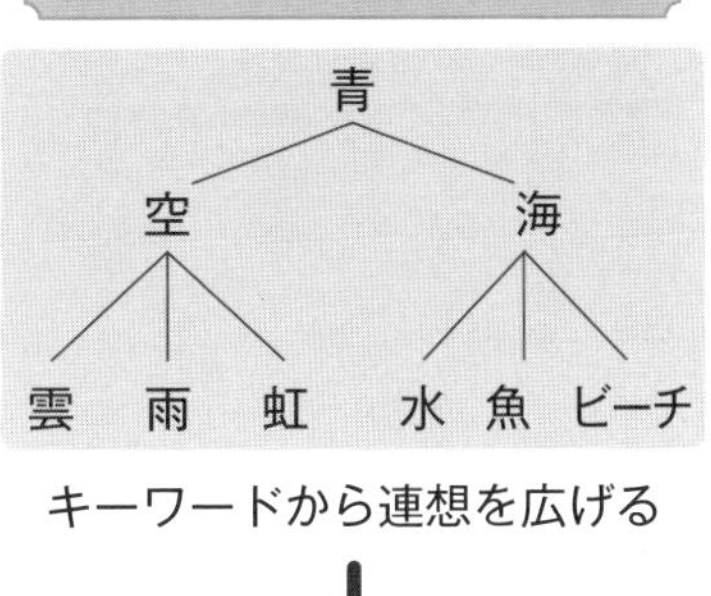

キーワードから連想を広げる

↓

キーワードがたくさん出たら気になるキーワードを選ぶ

カードを使った発想法

空	異世界	森
学校	洋館	転生
現代	人外	転校生

思い付くキーワードを書けるだけ書き出す

↓

気になるキーワードを選ぶか、裏返しにしてクジのように選ぶ

まずは、自分が気になる言葉や思い付いた言葉を書けるだけカードに書き出してみよう。その中から気になるキーワードを複数枚選ぶか、または裏返しておいて適当にカードを引いてみる。そこで選ばれたカードに書いてあるキーワードを基にして、お話を考えてみるというやり方である。

連想ゲーム以上に意外な言葉の組み合わせになるかもしれないが、それだけに普通では思い付かないような突飛な案が出てくるかもしれない。もし友人の協力が得られるのなら、みんなにキーワードを書いてもらい、くじ引きのようにランダムでカードを引くことで思いがけないアイデアに繋がるかもしれない。

この二つの発想法のメリットは、カードを作ったり広げたりする余裕のない環境でも、紙一枚とペンがあればカードでやるときと同じ要領でキーワードを書き出すことができる点だ。手帳やメモ帳を使って移動中の電車の中で考えることもできる。

どちらも手軽に始められる発想法なので、トレーニングも兼ねてぜひ試してほしい。

発想のためのヒント

アイデアを広げることはできても、そもそも根本的な最初のアイデア（どんな話にするか？）が出てこないという人もいるだろう。そこで、良質な発想をするための具体的なヒントを紹介する。

・ありえないことを考える

エンターテインメントのためのアイデアは特別で、インパクトがあり、魅力的なものでなければならない。当たり前のもの、見慣れたものでは読者の興味を惹くことができないだろう。そこで、「普通に考えたらこうはならない」「その手で来るとは思わなかった」と言ってもらえるようなアイデアを考えるよう意識したい。

・ひっくり返してみる

ありえないことを考えるためにはどうしたら良いのか。一番シンプルなのはひっくり返すことだ。「普通そうはならない（しない）」シチュエーションや設定を考えてみるのである。それも、無闇にひっくり返してもしょうがない。人物や職業、組織や場所、そして物語の中心や本質、特に目立つ要素を見つけ出し、そこをひっくり返すべきだ。

学校を例に考えてみよう。学校で目立つのはなにか？　まずは「何かを学ぶ」ことだろう。「集団行動をする」ことも大事だ。「若者が通っている」のと「たくさんの講師が必要」なのも挙げられる。

これらをひっくり返してみる。学ばない学校はありえるだろうか。集団をひっくり返すなら、誰か一人あるいはごく少数のためだけに作られた学校が考えられる。若者の逆となれば老人ばかりが通っている学校というところだろう。講師が誰もいないとなれば生徒同士がお互いに教え合うのだろうか……。

・過剰にしてみる

もう一つのヒントは「過剰にしてみる」ことだ。当たり前にあるものの量や質、度合いを過剰にしてみると、特

発想のためのヒント

良い発想を導くための考え方がある

「ありえない」「特別な」アイデアが必要！

ひっくり返す！　　過剰にする！

「A＋B」の発想法で特別なアイデアを

本来別々のパターンやジャンルを混ぜると独創性が出る

別なアイデアになる可能性がある。

例を挙げると、道端に百円玉が落ちていても不思議なことではない。しかし、それが百万円だったらどうだろうか。何か特別なことが起きているはずである。一千万円の入ったアタッシュケースだったら犯罪の匂いもする。もっと多かったらどうだろう。一時期インターネット上で流行ったフレーズに「五千兆円欲しい！」というものがある。では本当に五千兆円が降ってきたら？　全部一万円札だと考えても約五十万トンになる紙が降ってきたら、あなたがいる一帯は押しつぶされてしまうだろう。

・A＋B

エンターテインメント全般でよく使われるテクニックがある。それは二つのアイデアやパターンを混ぜてしまうことだ。

例えばファンタジーとミステリーを混ぜたり、メイドと探偵を混ぜたり、学校と宇宙人を混ぜたりする。その結果、「ファンタジー世界の殺人事件を追う刑事」や「メイドとして潜入して謎を追う探偵」「宇宙人が地球に馴染むために開かれた学校」などの、普通でないアイデアを導き出すことができるわけだ。

アイデアを作品に生かすために

ここまで特別なアイデアを思い付くための手法をいろいろと紹介してきた。しかし、実は一番大事な話をまだしていない。

それは「どれだけ独創的でも物語として面白くなるかどうかは別」ということだ。アイデアそのものがどれだけオリジナリティーに溢れていても、お話として面白くないケースはいくらでもある、というよりもそちらの方が普通である。つまり、私たちが「普通だ」「ありきたりだ」と感じる物語は、盛り上がりやすく、面白くなりやすいからこそ頻繁に使われ、結果的に見慣れてしまい普通になってしまったのだ。

それでもなお独創的で人の目を惹くアイデアのもと、また物語を作りたいのであれば、二つのテクニックが必要になる。それは「アイデアをたくさん出す」「アイデアを掘り下げる」である。

・アイデアをたくさん出す

アイデア出しをするとき、手間を減らそうとするのはまったくおすすめできない。むしろ、思い付きのほとんどは役に立たないと開き直るくらいのつもりで、とにかく数を出そうとした方が良いだろう。それらをメモに残し、あるいはパソコンにデータとして保存し、使えるものだけ使えば良い。その時には役に立たなくとも、いつかもう一度目を通してみたら「これは使える」となるケースもある。

例えば、ビジネスでも使われる発想法に「ブレインストーミング」がある。一般にはチームを組んで集団で行うものだが、個人で実施しても十分に効果があるだろう。ブレインストーミングでは一つのテーマを決め、そこから思い付くもの、関連するアイデアをなるべくたくさん出そうとする。ライトノベル創作の訓練やアイデア発想として行うなら、「ありえない病院ってどんな病院？」「刑事ものにもう一つアイデアを組み合わせるならなに？」などが良いだろう。そして思い付く限り書き出してみる。この時、アイデアの吟味はあえて行わない。勢いをつけてど

アイデアを作品に生かす

問題点

独創的なアイデアは
そのままだと物語にならないケースが多い

具体的にはどうしたら良いだろうか？

アイデアを沢山出す！

↓

数をこなせばこそ
良い物語になるアイデアも
出てくるというもの

アイデアを掘り下げる

なぜそのような状況に
なるのか？　そこから
物語が始まるか？　と考える

んどんネタを出すことで、結果として良いアイデアが出る可能性が高くなる。

・アイデアを掘り下げる

アイデアは出しっぱなしでは意味がない。特に、「ありえない」アイデア、独創性を狙っているアイデアの場合はなおさらである。ありえないなりに物語として成立するかどうかを探らなければいけない。そのためにはアイデアの掘り下げをする必要がある。

例えば学校のケースで考えてみよう。「授業をしない学校」は存在しうるだろうか？「老人ばかりが通っている学校」は？　ここで答えがなにも思い付かないのであれば、物語が成立しない可能性が高い（不条理ギャグなど、細かいことを考えなくて良いケースもある）。

しかしなんらかの答えが見出せるなら、そしてそれが物語を面白くしてくれそうなら話は別である。「学生が互いに教え合う学校」で、天才だけが通っている学校だったり、教師にトラウマを持っている学生が集まっていたり、あるいは教師たちが訓練を受けている学校というのはどうか。このようなアイデアから面白そうなストーリーは作れるだろうか……？

4 アレンジ発想法

ここでは、発想力の強化に役立つと考えられる「アレンジ発想法」というものを紹介しよう。

何かの作品に触れた時、「面白かった」「つまらなかった」「あそこはもっとこうした方が良いのに」などさまざまな感想を抱くだろう。紹介する発想法は、作品に抱いた思いをただの感想で終わらせず、掘り下げることで作品の分析力や発想力のトレーニングができる、というものである。

感想ノートを作ろう

まず、ノートの見開きの左側のページに、鑑賞した作品のテーマやあらすじと一緒に、「面白かったところ」「つまらなかったところ」「印象的だったところ」を箇条書きしてみよう。作品は小説に限る必要はない。マンガやアニメ、ドラマ、映画などでも良いし、ドキュメンタリー番組でも構わない。書き出す時は、なぜ面白かったのか、なぜつまらなかったのかという作品分析までできるとさらに良い。

書き出すことができたら、今度は右ページに移って、左ページの感想を基に自分なりの考えを書き込んでみる。例えばつまらなかったところを自分ならどのように変更するか、面白かったところは他にどんな面白い展開ができるか、といったことだ。

あなたなりのアレンジ案が書き出せたら、改めて元の作品と自分のアレンジ案を見比べてみよう。そうすると、「元の作品よりも面白くはできなかった」「自分の案の方がずっと面白そう」など、感想を抱けるはずである。もし元の作品よりも面白くならなかったのなら、もう一度考え直してみよう。繰り返すことで発想力を鍛える訓練になり、結果として、鑑賞でインプット、ノートに書き込むことでアウトプットになる。

このアレンジ発想法は、一緒にやってくれる友人がいるのならぜひ複数人でもやってみてほしい。なぜなら、互

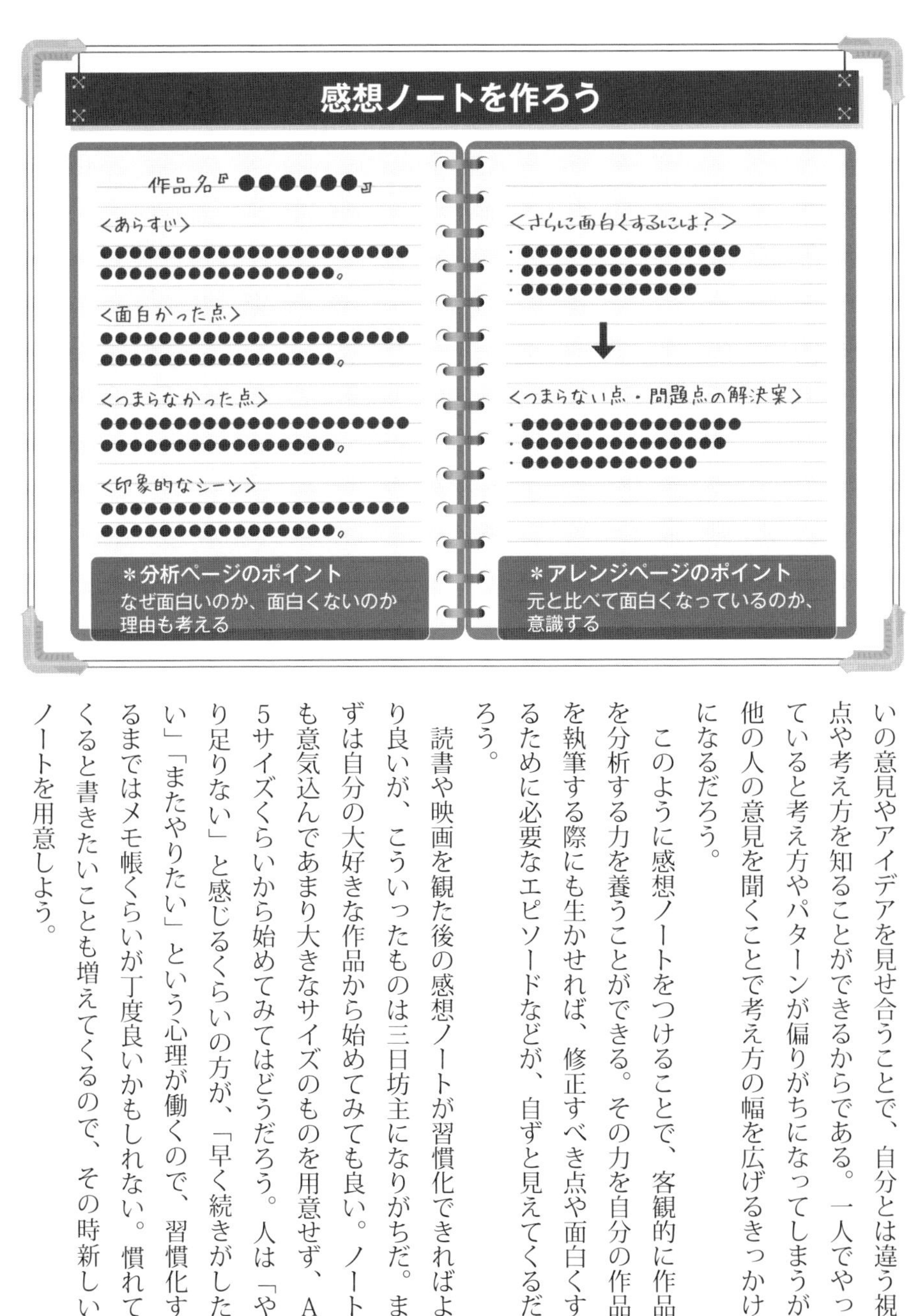

いの意見やアイデアを見せ合うことで、自分とは違う視点や考え方を知ることができるからである。一人でやっていると考え方やパターンが偏りがちになってしまうが、他の人の意見を聞くことで考え方の幅を広げるきっかけになるだろう。

このように感想ノートをつけることで、客観的に作品を分析する力を養うことができる。その力を自分の作品を執筆する際にも生かせれば、修正すべき点や面白くするために必要なエピソードなどが、自ずと見えてくるだろう。

読書や映画を観た後の感想ノートが習慣化できればより良いが、こういったものは三日坊主になりがちだ。まずは自分の大好きな作品から始めてみても良い。ノートも意気込んであまり大きなサイズのものを用意せず、A5サイズくらいから始めてみてはどうだろう。人は「やり足りない」と感じるくらいの方が、「早く続きがしたい」「またやりたい」という心理が働くので、習慣化するまではメモ帳くらいが丁度良いかもしれない。慣れてくると書きたいことも増えてくるので、その時新しいノートを用意しよう。

5 既存作品のアレンジ＆難しさ

アレンジ練習が良いわけ

なぜ「アレンジ発想法」というアレンジの練習をおすすめするのか。そのメリットをもう少し詳しく説明しよう。既存の作品をアレンジするのは、世界設定やキャラクター設定が既に存在している状態で、自分なりに再構築してお話を考えるということ。二次創作などをしたことがあるなら、それも既存作品のアレンジといえる。

アレンジのパターンはさまざま。「もしこのシーンが原作とは違っていたら」というｉｆ設定を考えてみたり、既存作品にあえて自分の作品のキャラクターを投入してみたりするのも面白いだろう。世界感やキャラクターはそのままで、あなたオリジナルの新しいキャラクターが物語とどう関わるのか考えてみるのも良い。

この作業では、元の作品のキャラクターをいかに自然に描くことができるか、新しく追加した設定をどうすれば上手く落とし込むことができるかがポイントだ。最初は難しいだろうが、上手く描くことができれば、将来ノベライズなどの仕事を受けることもできるだろう。

ノベライズは「メディアミックス」と言われる広告手法の一つで、元作品を小説で表現し直すというものだ。基本的な設定は原作通りで、単純に原作と同じストーリーを小説化することもあれば、原作にはないオリナジルストーリーを発表することもある。「メディアミックス」はより広義で、元作品を別媒体で発表することを指す。例えばアニメのゲーム化やドラマ化、小説のマンガ化、マンガのアニメ化などがこれにあたる。

難しくて当たり前

人の作った設定でお話を書く。そこにやりづらさを感じるのは当然のことだろう。特に、自分が絶対に書かない

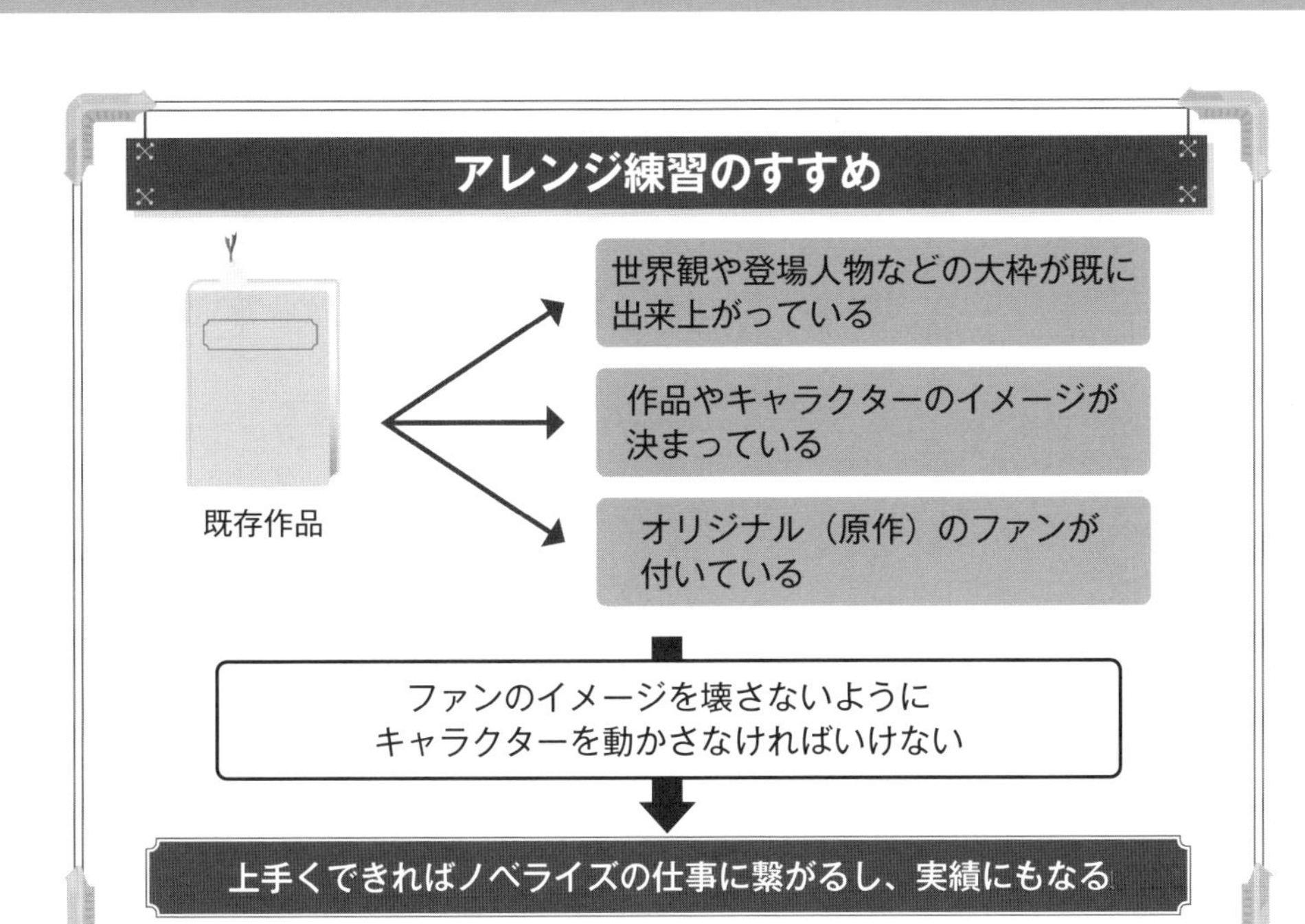

ような作風の物語や、出会ったことがない・書いたこともないタイプのキャラクターを描くというのは、未知の世界を体験しているようなものである。しかし、だからこそチャレンジしてみる良い機会になるだろう。

自主的には書かないジャンルやキャラクターだからこそさまざまなことに悩み、どうしたら面白くなるかを考えるはずである。そうしたチャレンジは、執筆経験の蓄積にもなる。また、書いてみたら意外と楽しく感じ、書けるジャンルの幅が広がるかもしれない。

オリジナルの作品も考える

ここまでアレンジ練習をおすすめしてきたが、これらは考え方や発想力の訓練のためであり、二次創作を推奨しているわけではない。

本気で小説家になりたいのなら、大切なのはオリジナルの物語を書くこと。アレンジ練習は、そのための技量を身に付ける練習である。

二次創作は確かにアレンジ練習になるだろうが、あまりハマりすぎて自分の作品がおろそかにならないように気を付けよう。

6 情報収集の方法を知ろう

文献を探そう

作品を書いていく中で知らないことがあったり、専門的な知識が必要になったりすることがあるだろう。その際は、文献に当たってみてほしい。本を書くために本を読むというのも少し変な感じがするかもしれないが、世の中には膨大な数の書籍が存在し、あなたが知りたいことに関する専門書も大抵の場合は見つかる。文献と言ったが、何も難しい専門書を読む必要はない。それしか頼れる本がないのであれば仕方がないが、比較的読みやすくかみ砕いて書かれた新書だって良い。歴史に関することなら、子供向けの学習マンガや解説書もバカにはできない。歴史関連書や学習書の専門出版社が出しているような本なら、子供向けでも内容自体はしっかりしていることが多く、信頼できる。せっかく本を読んでも理解できなければ意味がないので、読みやすい本を探してみるのが良いだろう。

ところで、本が欲しいなら購入するのが良いが、金銭的に厳しいこともあるかもしれない。その際は、一番身近な図書館を活用しよう。最近は同じ市や区内であれば、図書館同士で本の貸し出しが可能なことが多い。他館にある本でも、貸し出し予約をすれば取り寄せられ数日後には最寄りの図書館に届けられる便利なシステムになっている。図書館を使うメリットは、無料でたくさんの本を読むことができる点だ。また、貸し出し前にじっくり中身を確認してから借りるかどうかを決めることができる。これが書店になると長時間の立ち読みは気が引けるし、買ってみても欲しい情報がなかった場合、書籍代が無駄になってしまう。専門的な本は買うと高額になることも多いので、図書館で間に合うのなら購入する必要はないだろう。

もし最寄りの図書館で欲しい本が見つからなかった時は、国立国会図書館などの大きな図書館に行ってみよう。貴重な文献や資料の閲覧ができ、新聞などのバックナンバーも残されているので、古い事件を調べたい時などは役に立つ。貴重なものほど貸し出し不可になっていることも多いが、有料の複写（コピー）が許されているので、欲しい情報を持ち帰ることが可能である。複写には決められた手順があるので、ルールに従って利用しよう。

取材をしよう

知りたいことがあるのなら、人に聞いてみるのもオーソドックスな方法である。自分が書きたいと考えていることに関して参考になりそうな機関や施設、人物がいるのなら取材依頼を申し入れてみよう。その際、自分が何者であってなぜ取材したいのかをまとめた依頼書を作っておくと相手に説明しやすい。電話で依頼をする場合も同様に取材の意図をきちんと口頭で伝えれば良い。もしも取材の許可が取れたなら、どんなことを質問するのかを決めておこう。質問の内容を事前に相手へ伝えることができればスムーズだし、取材時間を短時間で済ませることもできる。その場に行っていざ取材が始まったのに何も聞くことを考えていなかった、では時間をとってくれている相手にも失礼だ。言葉遣いや聞き方にも失礼があってはいけない。取材当日は、質問に対する答えから話を広げたり、もう少し突っ込んだことを聞いたりすると良いが、初めての取材ではなかなか上手くいかないだろう。前日までにシミュレーションしておくことをおすすめする。

インターネットを活用しよう

最もお手軽な情報収集にインターネットがある。パソコンやスマートフォンを使えば、外出中でも簡単に調べものができる優れものだ。しかし、インターネットは手軽さと引き換えにリスクもあるので注意したい。ネットの情報は出所が明確でないものも多く、信憑性に乏しい。もしもインターネットで調べものをするのなら、公式サイトなど出典がはっきりしているサイトか、月間や年間で費用を払って利用する有料辞書などを使うのが良い。それ以外から情報を拾う時には、インターネットでの検索はあくまで下調べやアイデアの種にする程度の気持ちでいよう。

信用できない情報のリスク

小説を書く時に調べものが大切である理由は二つある。

一つは、知らないことを書くことはできないからである。

例えば主人公がコンビニでアルバイトをしているとする。作者にコンビニでのアルバイト経験がなくても、お客として店員の仕事を見かけることは多いだろう。しかし、それだけでは分からないこともある。コンビニにはバックヤードもあり、どのような仕事をしているのか、全部で何人くらいの従業員がいるものなのかなど、見えない部分は多い。イメージで書くことはできるかもしれないが、コンビニでのアルバイト経験のある読者がいれば、すぐに作者が何も知らない人だと見破ってしまうだろう。それはリアリティーの欠如だし、見破った読者からすればちゃんと調べずに書いている作品だと分かった時点で陳腐な作品に見えてしまう恐れもある。

もう一つの理由は、できる限り間違いの指摘や批判を避けるためだ。

専門的なことを扱う場合、読者から指摘を受けるリスクが高まる。特に、歴史や宗教的なものに関しては熱心なファンや信者がいるため、扱い方を間違えると身に危険が及ぶ恐れもあるだろう。そうでなくても、インターネット時代の現代ではちょっとした指摘はあっという間に拡散され炎上なんてことも珍しくはない。そうなった場合、ダメージを受けるのは作家だけではない。出版社側が謝罪を出すケースもあり、最悪の場合書籍の販売中止・自主回収という判断に踏み切らざるを得なくなる。出版社としての被害は甚大だ。赤字を出してしまうことはもちろんだが、自社商品に対する消費者からの信頼の失墜は痛い。当然やらかしてしまった作家にもさまざまなレッテルが貼られてしまい、マイナスイメージがついてしまうだろう。

最悪の事態を避けるためにも、取材や調査は小説を書く上では欠かせないことだと心しておこう。あなたがまだ学生なら、今のうちにアルバイトなどいろいろな経験をしておくと、自分の知識で書けることが増えるはずだ。

さまざまな情報収集

①専門書を探す

⊙書店で購入
⊙図書館で探す

町の図書館
- 身近で返却も楽
- 同じ市町村内なら別館の本も借りられる

国立国会図書館
- 蔵書数が豊富
- 貴重な文献が見つかる

②取材をする

⊙施設や機関　⊙専門家　⊙知りたいことに関わる人々
など

①取材の申し込み
- 取材の依頼文
- メールや電話でアポ
※両方だと丁寧で◎

→ **②質問リストを送る**
聞きたいことのリストを事前に送ることで、相手も答えやすい

→ **③取材当日**
言葉使いや聞き方は失礼がないよう事前に練習すると良い

④取材後
お礼のメールや手紙を送る

※取材料が必要になる場合があるので、謝礼については最初の問い合わせの際に聞こう

③インターネットを活用する

ネット検索のメリット
- 手軽
- 調べたいことがすぐに見つかる

→ ただし **ネット検索のデメリット**
- 嘘の情報もたくさん
- 筆者の主観や思想が強く入っているかも

→ **有料コンテンツの活用**
- 信頼できる情報
- 情報出典も分かる

④実体験を活かす

自分が体験して得た知識も有効な情報。
ただし、自分の知っていることが全てとは限らないことは念頭に入れておこう

7 史実を参考にしよう

実際の事件は物語作りのヒントになる

異世界もののファンタジーや中世ヨーロッパ風の世界を舞台にした時、種族同士や国同士の争いが舞台背景に設定されていることがある。または大きな陰謀が関係していたという設定も面白い。しかし、いざ具体的な話を作ろうとした際、争いの原因はどのようなことが考えられるのか、上手くイメージできないという人も多いのではないだろうか。そんな人は、実際に起きた出来事を参考にすると良い。人間は大昔からさまざまな理由で戦争を繰り返しているし、今現在もまだ戦争をしている国はある。

陰謀についても大企業の汚職事件や歴史的な暗殺事件などが参考になるだろう。日本は比較的平和な国だが、世界には考えられないような事件がたくさん起きている。有名な事件はネットでも簡単に調べることができるし、事件のデータベースを作っているサイトもあるので、下調べとして覗いてみるのも良いだろう。

歴史上の人物をモデルに

歴史上には日本の織田信長や坂本龍馬のような英傑からドイツのアドルフ・ヒトラーのような悪人まで数え切れないほどの人物の記録が残されている。英雄には英雄たる所以があり、悪人にも悪人としての美学や魅力があるので、死してなお多くのファンに愛され続ける人物は多い。

このような歴史上の人物をモデルにした作品も人気が出やすい。最近では『文豪ストレイドッグス』（角川コミックス・エース／原作：朝霧カフカ／作画：春河35）のような文豪がモデルになったキャラクターの登場する作品や、『クラシカロイド』（ＮＨＫ）のように有名作曲家が多数登場する作品が人気だ。スマートフォンアプリで

史実にはアイデアが詰まっている

史実を生かそう

国同士の争いや、企業の陰謀を書いてみたい
→ でも、どう描けば良いだろう？
↓
実際に起きた事件や戦争が参考になる

歴史上の人物をモデルにしよう

英傑や悪人など、現代でも
ファンの多い歴史上の人物は多い
↓
彼らをモデルにすることで
魅力的な要素になる

if の歴史を考えてみよう

正確な資料の残っていない
歴史や未解決事件などを作
者なりの考察で描いたり、
タイムスリップして歴史改
編したりするのも面白い

は、人物だけでなく、歴史的アイテムを擬人化した作品がブームとなっている。

このように、実在する人物もキャラクター作りの参考にしてみてはどうだろう。

今だから描けるｉｆストーリー

世界の未解決事件を調べると、史実に残る奇妙な事件は多数存在する。未解決で多いのは、失踪事件や大規模な遭難事故などだ。それらには陰謀論などがささやかれているものもあり、未解決事件に興味を抱いている人は多い。

現代なら理由が分かったであろう事件も、時代的な情勢や技術などでは解明が難しく、未解決とされている。そういった真実が謎のままの作品をモデルに、作者なりの考察や解釈で描くｉｆストーリーというのも面白い。

これはフィクションだが、半分は真実というだけで、わくわくするのではないだろうか。実際、歴史小説のジャンルには「歴史改変もの」も存在している。

もし興味のある歴史的事件があるなら、挑戦してみてはいかがだろう。

インターネットから情報を集めることの注意点

インターネットを使った情報収集には、手軽さと引き換えにリスクがあることはお伝えした。

例えば、あなたはウィキペディアというサイトを使ったことがあるだろうか。ブラウザから閲覧ができる百科事典である。ウィキペディアの大きな特徴は、ユーザーが筆者になって項目が作成されることだ。誰でも作れることから、大抵のことはウィキペディアで検索をすればヒットするというくらい項目数が多い。これほど便利なサイトはないように思えるが、既に存在する項目も、制作者以外が自由に編集できるうえ、運営から内容についての精査はされていない。つまり、嘘も書けてしまうのがウィキペディアに潜むリスクだ。現にただの噂が事実のように書かれてしまっている項目もあれば、芸能人のページにはアンチによって嘘が書き込まれていたり、項目そのものがネタで作られた虚構の場合もある。また、参考書籍が文献として記載されていても、その本が信用できるものでないのならその情報に信頼性はない。

インターネットに溢れる情報のリスクはウィキペディアに限らない。最近ではフェイクニュースという言葉を耳にしたことがある人も多いだろう。いわゆる虚偽報道のことで、故意による捏造であることが多い。海外では政治報道で度々フェイクニュースが流れ言及される場面が見られる。しかしそれは、報道された当事者が指摘したり否定したりしない限り視聴者側が気付くことは難しい。同じように、SNSでは毎日のようにさまざまな事柄が話題にあがるが、中には偽情報も多く、故意に拡散された悪質なものまである。一般人の個人ブログなどに投稿されている情報も同様だ。どれほど詳しく書かれていたとしても、そこに筆者の主観が入ってしまっている可能性もあり、それらすべてを鵜呑みにしてしまうのは危険だと覚えておこう。

インターネットに上がっている情報が真実かどうかを見極めるのは、以前よりずっと困難になってきている。

5章
物語を作ろう

1 物語を構築する三大要素（ストーリー・キャラクター・世界観）

物語を構成する三大要素

物語の設定を決めるとき、あなたならどこから固めていくだろうか。

世界設定作りが一番楽しいという人もいれば、既に書きたいエピソードがある人もいるし、人物の設定を作り込んだ、キャラクター先行の人もいるだろう。これらの順番に決まりはない。どこから決めるのが作りやすいかは、作者によって違う。

一つ確かなのは、キャラクター、世界設定、ストーリー。この三つはすべて物語において重要だ。なぜなら、この三つの要素が物語を構築しているからである。

劇場を想像してみよう。物語における世界は作品の舞台だ。作品の雰囲気を決める大きな要素。そして、キャラクターは役者。彼らが魅力的であるほど、舞台の上が華やかになる。そんな彼らの魅力や頑張りを見せるためのストーリーがある。この三つが揃って、初めて物語は動き出す。

支え合ってこそ生きる

世界・キャラクター・ストーリーの三つの要素は、互いに意味があってこそ最大限に生きるし、面白い作品になる。

小説家志望者がやりがちなのは、設定を作る段階でどこかを妥協してしまうことだ。例えばストーリーがあり、キャラクターがイメージ通りに動くには、世界がこういう作りであるとスムーズだな、と物語が進みやすいように設定を調整する人がいる。確かに手っ取り早く簡単な方法だが、このやり方は好ましくない。

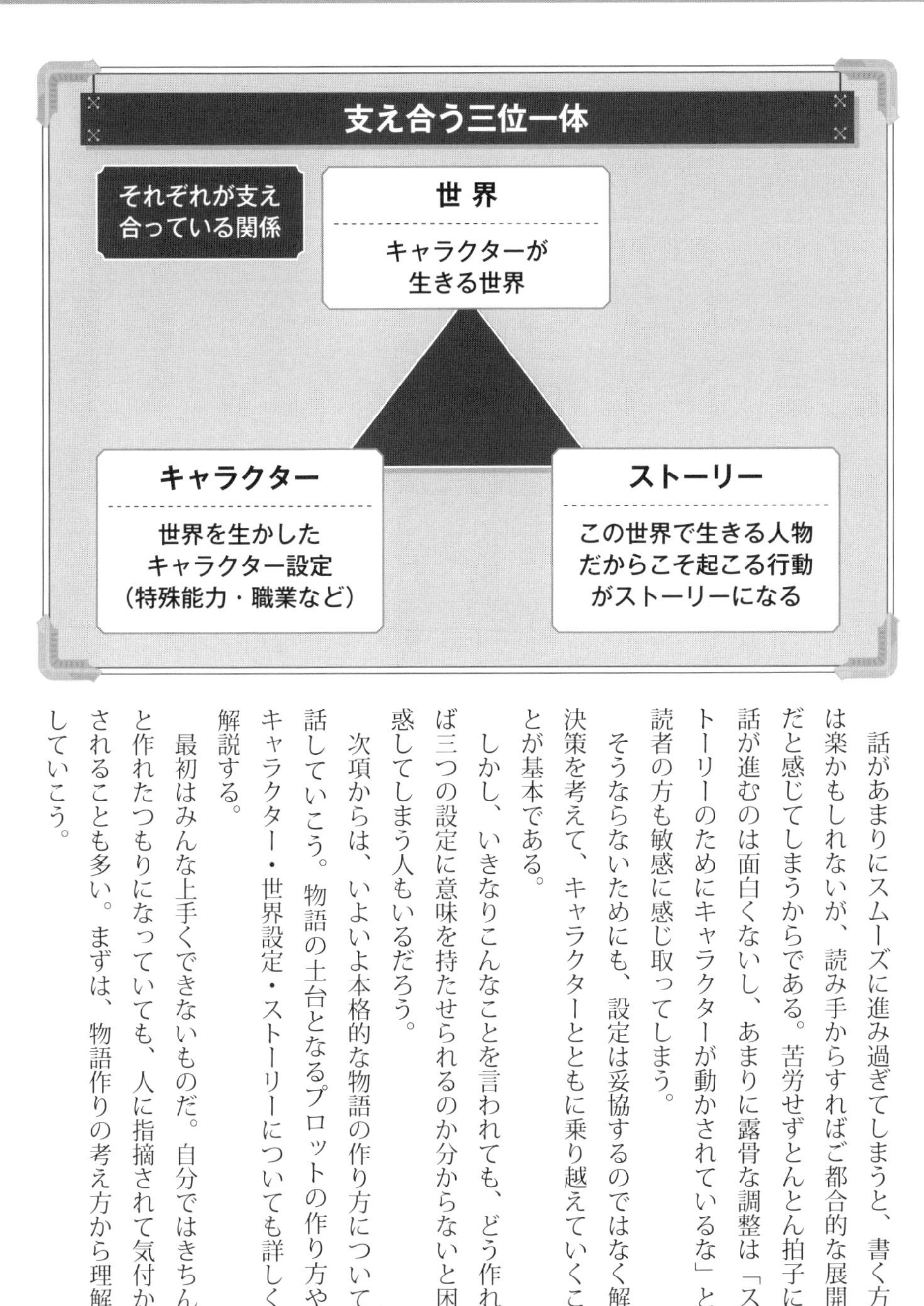

話があまりにスムーズに進み過ぎてしまうと、書く方は楽かもしれないが、読み手からすればご都合的な展開だと感じてしまうからである。苦労せずとんとん拍子に話が進むのは面白くないし、あまりに露骨な調整は「ストーリーのためにキャラクターが動かされているな」と読者の方も敏感に感じ取ってしまう。

そうならないためにも、設定は妥協するのではなく解決策を考えて、キャラクターとともに乗り越えていくことが基本である。

しかし、いきなりこんなことを言われても、どう作れば三つの設定に意味を持たせられるのか分からないと困惑してしまう人もいるだろう。

次項からは、いよいよ本格的な物語の作り方について話していこう。物語の土台となるプロットの作り方やキャラクター・世界設定・ストーリーについても詳しく解説する。

最初はみんな上手くできないものだ。自分ではきちんと作れたつもりになっていても、人に指摘されて気付かされることも多い。まずは、物語作りの考え方から理解していこう。

2 プロットとは

プロットは小説の設計図

小説を書きたいと思い、書き方に関する書籍やサイトを見ると必ず目にするのが「プロット」だろう。まずはプロットが何であり、小説にどのように関わるものなのか解説しよう。

「プロット」とは、

「どんな世界で　誰が　何のために　何をして　最終的にどうなるのか」

という物語の始まりから結末までをまとめたものであり、小説を書くための「設計図」。もっと分かりやすい言い方をすると、きちんとオチまで書かれたあらすじである。

プロットは必ずしも作らなければならないという決まりはない。プロの小説家の中にも、プロットを作らず書き出す人もいる。しかし、それで成功するのはほんの一握りの天才だけであり、あなたがまだ小説を書き慣れていないのならプロットを作ることを強くおすすめする。

プロットのメリットとは

プロットの作成をすすめるのは、メリットがあるからだ。プロットがあればお話の流れを確認しながら書き進めることができるという点で効率的だし、書き始める前の段階で物語全体の流れを自分で把握することができる。

また、三章の企画書についての項目でも前述したとおり、プロになれば執筆する作品をまずはプロットの形で編集者に提出することになる。プロットは小説とは違い短い文章でまとめなければいけないので、その中で作品の魅

プロットとは

プロット

お話を作るための設計図であり、自分の書きたい作品を編集者へ伝えるための企画書

プロットを作るメリット

- 書き出す前に話の全体のバランスを確認できる
- 流れを確認しながら書き進められるので話が脱線しづらい
- 最後までの流れが決まっているので、途中で詰まりづらい

書き慣れないうちはプロットを作ろう

プロットなしで書き上げられるのは一握りの天才のみ！

力が伝わるようにするのにテクニックが求められる。自分の書きたい作品を編集者に理解してもらい企画会議を通してもらうためにも、今のうちにプロット作りには慣れておくべきだろう。

勘違いしてほしくないのは、プロットにとらわれ過ぎる必要はないという点だ。

プロットなしで見切り発車をしても書き上げるのはかなり大変であり、大抵の人は途中で詰まってしまう。だが、プロットがあるからといって、必ずしもプロット通りに執筆が進むとも限らない。書き進めてキャラクターが定まってくると、自然と作者の想定と違う動きをし始めることがある。ここでキャラクターの手綱を握れれば良いのだが、書いているうちに内容が変わってしまうことは決して珍しくない。

そんな時は一度手を止めて、軌道修正が可能か検討してみよう。少しの修正で元の道に戻れるならそれで良いし、難しければプロットの内容を再考してみれば良い。

そのためにも、プロットは固め過ぎず設定やストーリーに少し余裕を持たせておくと、修正が必要になった時に対処しやすいだろう。

3 起承転結

基本の形

物語を構成する際の基本の形として「起承転結」というものがある。これは小学生の頃に作文の授業などで習った人も多いだろう。「起」は物語の始まり。キャラクターや世界観など基本設定の提示をする。「承」は作品全体を盛り上げるための工夫をする部分であり、「起」の部分を引き継ぎながらキャラクターの置かれた状況をエピソードで見せていく。「転」は「急転」であり、これまで知らされていなかった情報の提示やどんでん返しなど、物語の中で最も盛り上がる場所だ。「転」のラストまでに主人公が最終的にやるべき目的を提示する。「結」は物語の締めの部分であり、「転」までに提示されていた問題や事件が解決し収束していく。「結」までくるとお話のゴールが見え「やっと終わる」という気持ちから作者自身も駆け足になってしまいがちだが、「転」までがどんなによく書けていても「結」がいい加減では台無しになってしまう。読後感の善し悪しも左右するので、最後まで丁寧に書いてほしい。

この四つのブロックに分けるという考えが「起承転結」である。

一つ勘違いしないでほしいのが、原稿の分量まで綺麗に四分割する必要はないということだ。「起」が長くなっては冒頭で間延びした印象を与えてしまうし、主要キャラクターの登場が遅すぎるのも良くない。同様に「結」が長すぎても蛇足に感じてしまうので、物語の始まりと終わりはスマートさを意識しよう。

エピソードの集合体「フラクタル構造」

物語は大きく「起承転結」の四つのブロックに分けることができる。例えば、『桃太郎』なら次のようになる。

基本の物語構造

無理なく自然の流れでお話を作れる基本構成の「起承転結」

物語の始まり。キャラクターや世界観など基本設定を提示

「起」を引き継ぎながらキャラクターの置かれた状況をエピソードで見せ、ストーリーを進行していく部分

「急転」のパートで、物語が大きく動く。新事実の提示やどんでん返しなど最も盛り上がる部分。主人公が最終的にやるべき目的を提示

結

物語の締め。転までに提示された問題や事件を解決し、収束していく

フラクタル構造とは

「起」「承」「転」「結」それぞれの中にもエピソードがあり、物語は小さな話の集合体という考え方

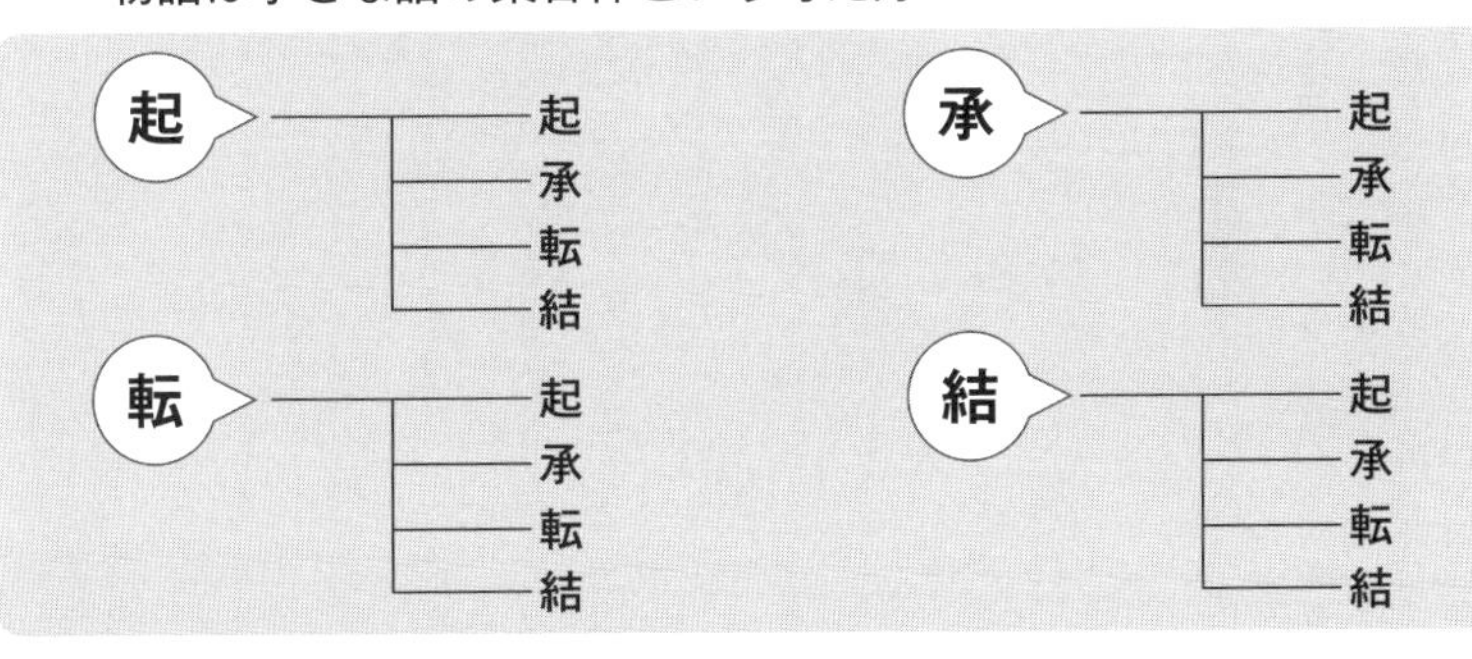

序破急とは？

「起承転結」に近い言葉で「序破急」がある。もとは雅楽や能の楽曲を構成する楽章で、話の構成として「起承転結」と近い意味で用いられる。「序＝起承」「破＝転」「急＝結」として考えられる

【起】川で拾った桃から生まれた桃太郎が
【承】成長し人々を苦しめる鬼を退治するため仲間を集めながら旅をし
【転】鬼ヶ島で鬼を退治し
【結】鬼の宝を村へ持ち帰る

右記の説明で、『桃太郎』という作品がどんな主人公で何のためにどこへ行き、何をするのかが分かるだろう。しかし、実際にお話にするためにはこれだけでは足りない。川で桃を拾ったのは川で洗濯をしていたおばあさんだし、桃太郎には犬・猿・雉の三匹のお供がおり、仲間になるためのエピソードがある。このように、物語というのは小さなエピソードが集合してできている。それぞれの小さなエピソードを作る際も、「起承転結」を意識すると作りやすい。つまり「起」の中の「起承転結」、「承」の中の「起承転結」という具合だ。このような物語構成を「フラクタル構造」といい、それぞれのエピソードに強弱を付けて盛り上がりの調整ができるのがメリットだ。

起承転結　～アレンジ編～

「起承転結」は物語の基本構造であるが、作品において必ずしも「起」から始めなければいけないというわけではない。

「ホットスタート」という言葉を聞いたことがないだろうか。主人公が今まさに何かから逃亡しているシーンや戦闘中のシーン、または何かの決戦のシーンなど、既に物語が動き出している状態から始まる手法だ。

これは「転起承転結」であり、物語が一番盛り上がるシーンを作品冒頭に持ってきている。また、冒頭に小さなエピソード（プロローグ）を入れる「起起承転結」や、解決したと見せかけてどんでん返しが待っている二段オチという構造の「起承転結転結」という手法もある。

起承転結のアレンジ

「起承転結」をアレンジすることのメリット ➡
- 話の盛り上がりにメリハリがつく
- 先の読めない展開
- 読者を驚かせたり引きつける仕掛けなど

アレンジの一例

⊙ホットスタート：見せ場を作品冒頭に持ってくる手法

転 ➡ 起 ➡ 承 ➡ 転 ➡ 結

⊙プロローグ：冒頭に小さな事件を見せる手法

起 ➡ 起 ➡ 承 ➡ 転 ➡ 結

⊙どんでん返し：解決に見せかけて覆すような仕掛けを作る手法

起 ➡ 承 ➡ 転 ➡ 結 ➡ 転 ➡ 結

このようにストーリー構成の方法はいくつかあるので、作品を最も効果的に見せることができる構成を考えてみよう。

物語で最も盛り上がる「転」

物語のクライマックス部分でもある「転」は、最も重要なブロックだ。「起」「承」のブロックは「転」へ向かって盛り上がっていき、「転」で最高潮を迎える。ここでいかに大きなイベントを作り、話が盛り上がるかで、読者の満足感は決まる。

そのためには、物語中で一番大きな事件が起きたり、隠されていた真実が発覚したり、それまで見えていたものがすべてひっくり返るようなどんでん返しがあったりと、仕掛けが必要である。

だが、いくら読者をびっくりさせたいからといって、それまでのストーリーの流れをすべて無視するような、あまりに繋がりのない展開では、作者の独りよがりな流れになってしまうので気を付けたい。

まず「転」のイベントを決めて、そこに向かって話を作るのも、やり方の一つだろう。

4 アイデアからストーリーへ

アイデアの取捨選択

面白いアイデアが出たら、すぐに小説を書きたくてうずうずしてしまうことがある。しかし、書き出す前にあなたの頭の中にあるアイデアをまとめ、形にしたい。まとめる作業はプロットを作ることにも似ているが、ここでは、プロットにする手前の段階の「アイデアの整理方法」について紹介しよう。

まずはあなたの頭の中にあるアイデアをすべて、ノートなどの紙に書き出してみよう。

「●●のような話を書きたい」というイメージ的なものでも良いし、キャラクター案や世界設定案、具体的なストーリーの案があるのならそれでも良い。書き出しながら、それらのアイデアを繋げたり広げたりしていく。そうすると、自然とアイデア同士が結びつき、ストーリーの種へと変化するのだ。

作業をしていくと、逆に独立しており上手く繋がらないアイデアがあったり、または、一人だけ妙に設定の多いキャラクターがいたりということが見えてくる。このタイミングでそのアイデアは本当に物語に必要な要素なのかを検討してみよう。「この設定を使いたい」という気持ちが強くても、物語にとって不要な設定になっていてはもったいない。使いたい設定を生かせるお話を別に考えれば良いので、無理に組み込もうとせず上手に取捨選択していこう。

設定過多を回避しよう

アイデアの取捨選択という作業は、設定過多を防止できる。設定が多くなってくると、説明だらけになって面白くなくなってしまったり、読者側の混乱を招いたりする可能性がある。

アイデアの整理法

《Step1》アイデアを書き出す

《Step2》アイデアを選ぶ

- 使いたいこだわりのアイデア
- 他の設定と組み合わせることで面白くなりそうなアイデア

など

取捨選択することで
設定過多を避けられる

出さない設定は不要？

本文中に出てこなくても、キャラクターの人格や
世界の成り立ちなどに関わることなら、重要な要素といえる

また、作者自身も設定を覚えきれず書いている間に矛盾が生まれてしまうこともある。慣れていない人ほど設定をすべて盛り込みたがるが、実際に小説を書いていると、作っていた設定を出さずに終わるのはよくあること。アイデアをストーリーにする際には、本当に必要な要素なのか十分に吟味しよう。

出さない設定は不要な設定か

取捨選択の段階で残したものの、結局物語に直接出さずに終わってしまった。そんな設定も当然あるだろう。

では、それらの設定が結局不要だったのかといえば、そんなことはない。中にはあってもなくても変わらなかったものもあるかもしれないが、例えばキャラクターの家族や生い立ち、過去のエピソードに関する設定だったとしよう。それらの設定は、そのキャラクターの人格や考え方に少なからず影響を与えているはずだ。表に出さなくてもきちんと考えられているからこそ、キャラクターに深みが生まれる。

こういった設定は裏設定などともいわれるもので、物語に深みを生み出す意味のある設定と考えて良いだろう。

5 王道パターンを上手に使おう

パターンとは

ここでは「パターン」について解説していこう。パターンというのは、お決まりのストーリーライン（展開）や要素が盛り込まれた物語と考えておくと分かりやすい。「予定調和」などとも言われるが、「AときたらBと展開するのがお決まりだ」というようなものもパターンである。

このパターンには、作品のジャンルによってもさまざまな展開があり、「●●もの」などと表現されることがある。例えば、今は落ち着きを見せたが、近年まで流行っていた「異世界転生もの」と聞いたとき「主人公がなんらかの事故に遭い、目が覚めると異世界でチート能力に目覚めていた」というような展開が自然と頭に浮かぶ人も多いだろう。このように、人気のある王道的なパターンは多くの作品で起用されるが故に、テンプレート化していることも少なくない。

王道パターンとオリジナル性

パターン化された物語にはプラスの面とマイナスの面がある。

まず、マイナスの面は、既に使い古された展開であったり、ありきたりなお話になりがちという点だ。

一方プラスの面としては、王道ストーリーを好む読者も多いという点である。

例えば、女性向け作品において、最初はごく平凡であったりつらい目に遭ったりしていた主人公が魅力的に成長を遂げる、いわゆるシンデレラストーリーを好む女性読者は多い。また、子供向け番組では、最後には必ずヒーローが現れ事件を解決してくれる。読者は最後にお決まりのハッピーエンドが待っていると知っていても、その感

ライトノベルの４つの代表的なパターン

①成長もの

未熟な主人公の成長を軸にして物語が展開する。読者が感情移入しやすく、主人公の成長が魅力。現代ものからファンタジーまで、どんなジャンルにも盛り込みやすい

②プロフェッショナルもの

主人公が特別な能力を持っているなど、超越した人物であるパターン。この場合、未熟な助手や普通の友人など、読者に近い立場の人物視点でお話が描かれることが多い

③日常もの

舞台に大きな変化はなく、現代日本の家や学校などの特定の場所で描かれる、キャラクター同士の日常風景や人間関係によるギャグなどが多い

④旅もの

主人公たちが何かの目的のために旅をし、行く先々の街や国、世界が舞台となる。そこで出会う人々との関わりや、遭遇する事件を軸に物語が展開する

動的なラストシーンや、主人公が片思いの相手と結ばれるシーンを期待し、その瞬間を楽しみに読み進めるのだ。

王道パターンは、多くの作品で取り入れられ、時代が変わっても愛され続けるから「王道」と言える。裏を返せば、やり尽くされたお話でもあり、だからこそ王道のストーリーパターンを使う時は、オリジナル性を意識してお話を作ろう。

オリジナル性というのは、あなたの作品だからこその味わいであったり、雰囲気であったり、キャラクター性といった、作者独特のカラーのことである。

お話の大まかな流れが予定調和でも、その中で動き回るキャラクターや世界観、お話を進行する文体などが独特であれば、新鮮さを感じることができる。読み終わった時、「よくある話」で終わってしまわないように、オリジナル性は重要な要素と考えよう。

ライトノベルの王道パターン

ライトノベルで好まれる、基本要素となる四つの王道パターンがある。これらの特徴を上記の図版で解説しているので、創作の参考にしてみよう。

実用的な物語パターン

前ページで紹介した四つのパターン以外にも、使いやすく物語を盛り上げるのに有効なパターンがいくつかある。

・貴種流離譚

神の子や王子など高貴な生まれの人（＝貴種）が、国を滅ぼされたり立場や能力を奪われたりして、冒険やあてのない旅に出る物語。主人公には「国を再興する」「立場を取り戻す」「生き別れの恋人を探す」など明確な目的があった方が書きやすい。主人公が特別な能力や運命を持っていたり、行く先々で人々が助けてくれたりする理由が「貴種だから」と明確に説明できるのがメリットだ。

・復讐譚、逆襲もの

家族や恋人を殺されるなど、大事なものを奪われたキャラクターが逆襲をする物語。目的が明確で、主人公が迷ったり悩んだりする余地が少ないので、シンプルかつ勢いのある物語になる。あらかじめ「復讐は虚しいものか、それとも過去にケリをつけるために必要なものか」などの答えを考えておくと、後で展開に悩まなくなる。

・危機から始まる物語

命を狙われる、とんでもない借金を背負わされる、任務を達成しないと命を奪われる、受けた仕事に時間制限があるなど、危機的状況から物語が始まるパターン。主人公は問題解決のために頑張らなければならないので、自然と物語に勢いと緊迫感が生まれる。

・成功と失敗の繰り返し

主人公が成功と失敗を繰り返しながら、問題の解決や目的の達成に向けて進んでいく物語パターン。成功しっぱなしで目標にたどり着くよりも、「成功して調子に乗ったせいで失敗したが、しっかり落ち込んで反省したからみんなが助けてくれて大成功し、ついに目的を達成した」などの方が物語として起伏があり、盛り上がりやすい。

・異類婚姻譚

人間が異類＝人間でないもの（神や妖怪、人間に化けた動物など）と恋人関係になったり、結婚して子供をもうけたりする物語。人間と異類の立場や性質の違い、価値観の対立など物語を盛り上げるための要素を用意しやすいのがポイント。主人公が日常側、相手が非日常側に立つことで、雰囲気に起伏をつけられるのも魅力だ。

・俺TUEEE系（無双）

主人公が最初から作中の世界の中で最強クラスの力を持っていて、大活躍する物語パターン。爽快で勢いがあるため好まれる。しかし、本当に最初から最後まで苦戦する場面がないと物語に起伏が生まれず、盛り上がらない。そこで「強さを発揮する回数やタイミングに制限がある」「もっと強い敵が現れる」「強さとは別のところに問題を抱えている（政治権力やお金など）」といったように緩急を加えるのが一般的。

・落ちもの

ヒロインキャラクターや物語の重要なアイテムが、まるで落ちてくるかのように（物理的に落ちてくるパターンも多い）突然現れるところから始まる物語。これらのキャラクターやアイテムによって、主人公の日常は変化して引っ掻き回され、物語も急展開する。お話にインパクトを与えるのに有効なパターンの一つだ。

・変わった学校

特別な職業に就くための学校や、ファンタジーな要素のある学校、特殊なカリキュラムや立地を持つ学校など、変わった学校が舞台の物語。日常の象徴である学校を非日常に近づけることで、読者に伝わりやすい展開になる。

・セカイ系

主人公の周囲で起きる事件や出来事が、世界の命運などスケールの大きな要素と直結する（国や社会などの中間項が省略される）物語パターン。「変わった学校」パターンと同じく、恋や友情、己の未熟さなどの身近なテーマと、世界が滅ぶか否かというスケールの大きな要素を結びつけられるので、お話を盛り上げやすい。

6 どこから話を考えるか

アイデアを導き出す二大論法

あなたは「演繹法」「帰納法」という言葉を知っているだろうか。この二つは、結論を導く考え方であり、同じ結論でもそれまでの過程が異なる。小説を書くのには関係ないような話だが、実はこれらの考え方は物語の作り方に当てはめることができるのだ。ここでは、それぞれの説明とともに、参考程度に紹介しよう。

三段論法の演繹法

演繹法とは「リンゴは果物である」（大前提）↓「果物は腐るものだ」（小前提）↓よって「リンゴは腐る」（結論）という導き方をする方法だ。

この演繹法をストーリーの組み立てに生かすことができる。まず一番最初にお話の舞台がどんな場所なのか、どんなキャラクターがいるのかを決定しよう。次に、この世界だからこそ起こる出来事や事件はどんなことがあるだろうと考えてみる。さらにその事件に直面した時、あなたが考えたキャラクターならどんな行動をするか考えるのだ。設定が大前提であり、そこから結論に導きストーリーの展開を決める。演繹法を用いれば「起承転結」の順でお話を作るので矛盾が生まれにくい。

一方で、筋道通りの展開になるため大きな事件を盛り込みにくく、物語の起伏を作りづらいのがデメリットと言えるだろう。

ラストから遡る帰納法

演繹法と帰納法

演繹法

「リンゴ＝果物」「果物＝腐る」だから「リンゴ＝腐る」という、複数の前提を関連付けて結論を導いていく方法

↓ 創作に生かすなら

キャラクターや世界などの設定を固めてから、「この世界でこのキャラクターならどんな行動を取るかな」と物語の流れに沿って考えていく

帰納法

「リンゴは腐った」「みかんは腐った」「桃は腐った」という複数の事実から「果物は腐る」結論を導く方法

↓ 創作に生かすなら

書きたい結末やシーンが決まっており、そこに必要なキャラクターや設定、エピソードを固める。「起承転結」の「転結」から考える

帰納法は、複数の事実から一つの結論を導く考え方であり、演繹法とは大きく論法が異なる。

次の例に当てはめると、「リンゴは腐った」（前提1）、「蜜柑も腐った」（前提2）、「桃も腐った」（前提3）↓「よって果物は腐る」（結論）となる。

面白いラストシーンが思い浮かんだので、「この話を書きたい！」と考えたことがある人もいるだろう。まさにそれが帰納法の考え方である。

この場合、ラストシーンが決まっているので、そのシーンに繋がるためのエピソードや世界設定、必要なキャラクターを考えていく必要がある。何か重大な出来事が起こるならその原因も考えなければいけない。

結果ありきでストーリーを考えるのは、不自然にならないよう話を組み立てる必要があるため、少し難しいストーリーの作り方と言える。

また、シーンのために考えた設定はご都合主義になりがちだったり、キャラクターの言動にも辻褄が合わなくなったりしてしまう。その代わり、設定が固まっていない分、驚くようなシーンを作ることができるのが帰納法のメリットなのだ。

7 ライトノベルの要はキャラクター

魅力的なキャラクターとは

キャラクターに最も求められること。それは「敵」「味方」に関係なく魅力的であることだろう。魅力的な要素というのはさまざまある。容姿や頭の良さといった表面的なものから、生き様や貫いている美学などの内面的なもの。つまりは、その人物の特徴といえるべきポイントである。

例えば、何か一つ他人より秀でた能力があればそれがキャラクターの個性であり、さらにそれが普通とは少し違う特性であると、キャラクターの魅力はぐっと高まる。

キャラクターの魅力を作る時、「憧れ」と「弱点」を意識するのもおすすめだ。この二つは正反対に見えて実は表裏一体の関係だと言える。「憧れ」とは読者にとっての「理想」であり、キャラクターがより理想に近い存在なら、それだけで魅力的に映る。

「弱点」は読者にとってキャラクターの気持ちに感情移入しやすい要素といえる。主人公と同じ思いやコンプレックスを抱いていたり、自分と似たような人物が物語の中で特別な役割を担い活躍したり成長する過程を、キャラクターに自己投影して楽しむこともできる。応援したい気持ちにもなるだろう。

お話の流行り廃りがあるように、キャラクターにも時代によって流行がある。現代の読者層にはどんな人が多いのか、どんなキャラクターが好まれているのかという研究もキャラクター造形において重要だ。

主人公に成長ポイントを作る

主人公に必要なもの。格好良さや、周囲に影響を与えるようなまっすぐさや発言力など、いわゆる主人公補正といわれる要素も魅力ではあるが、一番は「成長ポイント」だろう。これは、先に述べた「弱点」とも共通する。弱点を克服するからこそ、主人公は成長しているといえる。一本の作品を通して主人公含め登場人物に何の変化もない作品ははっきり言って面白みに欠ける。主人公が成長する過程を感情移入しながら見守ってきた読者は、主人公とともに達成感を得られたり感動することができるのだ。

最初はできなかったことができるようになる。自分からは意見できなかった主人公が緊張せず話せるようになる。女々しかったが、物語を通して男前になる。孤独が好きだったが仲間の大切さに気付く。など、主人公の成長とは技術的な成長や精神的な成長などキャラクターによって内容も成長の度合いも異なる。極端な急成長は不自然になってしまったり、共感できず読者を置いてけぼりにしたりすることもあるので気を付けよう。

エピソードを通して性格や魅力をみせる

いくらキャラクターに魅力的な設定を作ったとしても、登場人物のセリフや地の文でそれを説明するだけでは、読者にはいまいちキャラクターの良さは伝わらない。大切なのは、優しいキャラクターなら優しさの分かるエピソード、格好良かったり強いキャラクターなら戦闘シーンなどを通して格好良さを見せてあげること。キャラクターの言動が伴って初めて説得力が生まれる。

主要人数を絞る

お話を考える時、ついあれもこれもと出したいキャラクターが増えてしまうことがある。しかし、あまりに多すぎると読者が覚えきれない上に、作者自身設定を覚えきれず矛盾が生まれたり、書き分けができなくなってしまう。また、人数が多いとキャラクターの掘り下げが十分にできない。どうしてもキャラクターが増えてしまった時は、メイン以外のキャラクターには名前を付けない、名前の響きが被らないようにすると、読者の混乱も緩和される。

魅力的なキャラクターとは

魅力的なキャラクターの特徴

表面的	内面的	共感性
・容姿端麗 ・頭脳明晰 ・優しい性格 など	・思想 ・生き様 ・美学 など	・コンプレックス ・等身大の青少年 など

エピソードを通して魅力を伝えることが大事

魅力的なキャラクターを作れても、行動で示さなければ説得力に欠ける。キャラクターが頭の中で考えるだけ、言葉にするだけではなく、エピソードで見せたい

キャラクターの成長ポイントを作る

物語を通してキャラクターに「変化＝成長」を持たせることで、読者はキャラクターに共感したり、共に達成感などを味わうことができる

成長させるのは主人公だけで良い？

読者が１番に共感するのは主人公なので、まずは主人公が成長するのが好ましい。しかし、友人やライバルや敵キャラが一緒に変化していく過程も、友情や青春ものの醍醐味といえる。

全員に変化を持たせようとしても、限られた枚数では十分掘り下げをするのが難しく、かえって中途半端な印象を与えてしまうかもしれない。もし掘り下げて紹介したいサブキャラクターなどがいるのなら、続編で挑戦すれば良い

パーソナルデータを作ろう

具体的なキャラクター設定を考えようとしても、何をどう決めたら良いのか分からないという人もいるだろう。そんな時は、キャラクターのパーソナルデータを作るのが良い。

パーソナルデータというのは、キャラクターの履歴書のようなものと考えると分かりやすい。出身地や身長体重などの体型、口調、性格、容姿、好きなもの嫌いなもの、得手不得手、どんな人生を歩んできたか、家族構成などの情報である。容姿や家族構成はキャラクターの基本情報であり、ここをきちんと決めておくと、人物描写をしやすい。好きなものや苦手なもの、悩みや考え方というのは性格にも関わる部分であり、主人公の成長ポイントにもなるので、物語との関わり方も考慮し決めると良い。

また、これまでどんな人生を歩んできたのか（バックグラウンド）という情報も大事になる。どんな家庭環境で育ち、家族や友人が周りにいたのか、どんなことを経験してきたのか。それらが、現在のキャラクターの性格や考え方にどう影響を与えているのか。連想ゲームのように作っていくと、キャラクターのイメージや人物像というのが自然と固まっていく。バックグラウンドの設定は、作者自身がキャラクターを理解するという意味でも重要といえる。キャラクターは、表面的な部分のみを作ろうとする方が意外と難しいのだ。

実際に作ってみよう

次のページにキャラクター設定を書き込むことができるシートを用意した。右ページはサンプルシートなので、それを参考に、左ページのシートを使ってキャラクターを考えてみよう。できれば直接書き込むのではなく、コピーして使うのが好ましい。複数枚プリントアウトしておけば、今後キャラクターを考える際に何度でも使うことが可能だ。

パーソナルデータ：見本

名前	神崎すぐる	役割	主人公		
年齢・性別	16歳／男性	誕生日	2006.8.6	血液型	A型
家族構成	両親・妹・犬	国籍	日本		
職業	学生	身長・体重	172cm／57kg		
髪型	短髪黒髪、前髪は短めで眉より上	目の色	黒		
服装	制服：学ラン／私服：スポーツメーカーのスポーティースタイル				
その他の特徴	剣道部所属				
性格	短気だが優しく正義感が強い 困っている人を放っておけないところがあり、何にでも首を突っ込みがち				
長所	世話焼きで頼りになる				
短所	善意で首を突っ込むが、お節介に思われてしまう				
好き	甘党で特に和菓子が好物				
嫌い	弱音を吐くこと、弱音ばかり言う人				
得意	剣道	不得意	人に甘えること		
悩み	試合で一勝もできない他校の先輩がいる。ライバルとして勝ちたいし尊敬もしているが、いつもウザがられている				
その他（特殊能力・過去など）	幼少期に妹と出かけている時、事故に遭った妹を助けられなかったことを悔やみ、強くなりたいと剣道を始めた				

パーソナルデータ：書き込み用

名前		役割			
年齢・性別		誕生日		血液型	
家族構成		国籍			
職業		身長・体重			
髪型				目の色	
服装					
その他の特徴					
性格					
長所					
短所					
好き					
嫌い					
得意		不得意			
悩み					
その他（特殊能力・過去など）					

※コピーして書き込もう

8 世界設定を作ろう

物語を構成する三大要素の一つ

世界とは物語の舞台であり、ストーリー、キャラクターと並ぶ重要な三大要素の一つ。

一口に世界設定と言っても、大きく分けると「世界観」と「世界背景」の二つの要素になる。「世界観」というのは和風・中華風・中世ヨーロッパ風、近未来など、作品の雰囲気や方向性を決める要素。「世界背景」というのはその世界の成り立ちや、歴史、特殊な設定（魔法が使える世界、人が空を飛ぶことができる世界など）のことだ。二つの人種が争いを繰り返しているという設定があった場合、なぜ争うようになったのかといった今に至る歴史などが必要になってくる。

舞台が決まるとルールができる

どのような世界にするかが決まると、ある程度のルールも一緒に設定していく必要がある。

魔法が使える世界なら科学はまったく存在しないのか、ということや、人々が空で暮らしている世界なら、なぜ空で暮らすようになったのか、下界に降りてはいけないのか、などということだ。

このような決まりごとや理由付けは、最初に決めておいた方が良い。そうでなくては何でもアリになってしまい、「ご都合的な世界だな」と読者に思わせてしまうからである。書きたい世界があっても、理由付けが難しいというのはよくあること。しかし、ロジックがしっかりしていればリアリティーが生まれるし、ルールがあると何かをする際にハードルができ、作品の盛り上がりに繋がる。変わった世界なら面白いと思ってもらえる可能性が高いので、ぶっとんだ設定でも良いだろう。ルールを決めて締めるところは締めるように、世界にもメリハリをつけよう。

世界設定

世界観とは

和風・中華風・中世ヨーロッパ風・近未来・過去・SF など

作品の雰囲気や方向性を決める要素

世界背景とは

世界の成り立ちや歴史、特殊な設定（魔法が使える、人が空を飛ぶことができる世界）など

世界の具体的な設定。気候・人種・信仰などもこちら

舞台が決まったら世界のルールを決めよう

例 空中都市で暮らす人々

- なぜ空で暮らすようになった？
- どのように上空へ来た？
- 下界へ降りることはできる？
- 下界にも人や生物はいる？

など

細かい設定や決まりごとを作ることで、
ご都合的な印象を避けられ、問題解決のためのハードルも生まれる

きちんとルールを決めておくと

**リアリティーに繋がり、決まりごとの中で発生する
障害を乗り越えることが物語の盛り上がりになる**

世界はあくまで作品の舞台

世界設定を作るのは楽しい。こんなことができて、あんな場所があってと設定作りに力を注ぐ人も多いだろう。

一方で、世界設定を作った達成感に満足してしまう人もいる。確かに世界設定というのは物語の雰囲気を決めるとても大切な要素であり、世界観が好きだから、世界設定が面白そうだからという理由で作品に興味を持つ人もいるだろう。

しかし、小説において最も注目されるのはキャラクターと彼らが巻き起こすストーリーである。キャラクターが何を感じ、どう思ったか、そしてどう動いたか。彼らの心情や行動を描写するのが小説であり、世界は彼らが動き回るための舞台にほかならない。逆にいえば、どんなに世界設定がよくてもキャラクターやストーリーが面白くなくては、それは面白い小説とは言えないのだ。そう考えると、世界設定というのはやはり、小説において裏側の要素といえる。

三位一体の関係

では、キャラクターやストーリーが面白ければ、世界設定はどうでも良いのかといえばそうではない。理想的なのは、キャラクター、ストーリー、世界がきちんと関連付けられた関係性であることである。小説家志望者の作るプロットを見ると「キャラクターとストーリーは面白いけど、このお話はこの世界じゃなくてもできちゃうよね？」というものがある。

つまり、世界設定が物語にきちんと生かされていないのだ。

理想は、この世界だからこそ起こる事象が、キャラクターたちの行動に関係していることである。例えば、魔法学校を舞台にしたのに、メインストーリーは魔法がほとんど関係ないキャラクターの恋愛ものだったとしよう。こ

世界と物語の関係

世界は作品の舞台

キャラクターがストーリーを通して動き回るための「舞台」が世界

世界は単なる「舞台」？

この世界だからこそ起こるストーリーになっていないと意味がない

「この世界でなくてもできちゃう話だよね？」
は世界設定が生かされていない証拠

れでは、魔法が使えるという世界設定も生きていなければ、わざわざ魔法学校が舞台である必要性がなくなってしまう。現代日本を舞台にした学園ものでも成立してしまうだろう。

この世界だからこそ起こる出来事に対しキャラクターが行動を取り、それがストーリーになっていく。三位一体の関係を意識して世界設定・キャラクター・ストーリーを考えていこう。

世界を構成する要素

「世界設定作りが一番楽しい」と答える人がいる一方で、「世界設定はどんなことを決めれば良いのか分からない」という人もいるだろう。慣れていない人ほど、「魔法が使える世界」や「中世ヨーロッパ風の世界で争いが起こっている」など、ぼんやりとした世界設定のみを考える人が多い。綿密な設定を作りすぎて力尽きては元も子もないが、どれだけ詳細に作るべきかといえば、やはり作り込んだ方が良いだろう。気候や地形といった人々の生活に関わること、政治や宗教という人々の生活に影響を与える思想や関わり方など。そういったものの歴史や背景があるからこそ、人々、または国と国の関係が決まってくる。争いが起きているのならそこには必ず争いの理由がなくてはならないし、そうでなければ解決方法も決まらない。この部分をしっかり作り込めていれば、物語の展開にリアリティーが生まれるはずである。

疑問を投げかけながら掘り下げていく

歴史や争いの理由を決めろと言われても分からないのなら、自分の作った設定に疑問がないか見直してみよう。例えば鬼の伝承の残る町が舞台で、その伝承を巡り主人公たちが行動をするという設定が決まっているのなら、「この町はどのように出来た町だろう」「伝承に登場する〝鬼〟は実在した？」「伝承は現在生きている町の人々にどう影響を与えている？（お祭り・信仰・信じている人はいない、など）」といったようなこと決めていく。そうすると、ぼんやりとしていた設定が自然と説得力のあるものに変わっていくはずである。本当にある伝説をモデルにされた作品なども数多く存在するが、使う場合は自分なりのオリジナル要素も組み込めると良いだろう。

世界設定の組み合わせ

世界設定は、現代なのか過去なのか未来なのか、舞台は地球なのか違う惑星なのか異世界なのか。要素はさまざまある。それらの要素の組み合わせ次第では、真新しい設定を作ることも可能だ。

ファンタジーだからといって必ずしも舞台を異世界にする必要はないし、魔法と科学が共存してはいけないということもない。異世界転生といえば地球から別世界に行くのが定番だが、異世界の住人が現代日本に来ることもあるかもしれない。近年では、ファンタジーとは、異世界とは「こうだ」という、イメージを覆すような作品も多く発表されている。「普通」を覆すような組み合わせを見つけることができれば、個性的な世界設定が作れるだろう。

次ページに世界設定のテンプレートシートを用意した。世界設定を考える時に、ぜひ活用してほしい。

世界設定シート

世界のベース （イギリス・日本など）		時 代	
世界の特徴			
国 名		首 都	
種 族			
政 治			
交通手段			
信 仰			
文化・技術			
地形・気候			
他国との関係			
暮らしの特徴			
その他の特色			

※コピーして書き込もう

9 要素過多を見極めよう

段階を踏んでプロットを作る　二〇〇字プロット

ここまではプロットを作るために必要な要素や考え方について紹介してきた。この項目では、考えた物語の設定が要素過多になっていないか確認できる方法を紹介しよう。

まず、第一段階は、作成したプロットを二〇〇字のあらすじに書き起こしてみる。多くの人はここで苦戦するはずである。二〇〇字は文量がかなり少なく、書けることが限られてしまうためだ。

それでも、「誰がなんのために何をしてどうなるのか」という要素は最低限盛り込みたい。設定についても最低限必要な情報は入れ込みたいが、細かな設定はのちの過程で追加できるので、まずはどんなお話なのかが分かるように作ってみよう。

二〇〇字のあらすじでチェックするのは、長編になりそうな内容か、面白くなりそうかという点だ。たった二〇〇字で面白さなんて伝わるはずないと思う人もいるかもしれない。しかし、二〇〇字というのは文庫本の裏表紙に掲載されるあらすじと同じくらいの文字数である。あなたも読んだことのない本を手に取った時、裏表紙のあらすじを読んで面白そうか判断することがあるだろう。

二〇〇字はお話や設定の面白さを伝えることができる文字数といえる。ここで面白いと感じない、誰かに見てもらって面白さが伝わらないのなら、納得いくまで作り直そう。

四〇〇字プロット

二〇〇字のあらすじが完成したら、今度はさらに細かな設定やエピソードを加えて四〇〇字のあらすじへと育てていく。二〇〇文字では盛り込めなかったもう少し細かな設定を入れ、具体的な事件（エピソード）を追加していこう。この段階ではまだ大まかな話の流れが分かる程度の情報しか盛り込めないかもしれないが、二〇〇字に比べれば、主人公以外のキャラクターにも触れられる余裕が出てくるだろう。

四〇〇字のあらすじでチェックする点は、二〇〇字の時と同じ。ちゃんと面白くなっているか、長編にできる内容となっているかを確認し、納得できなければ修正したりエピソードを追加したりする必要がある。

八〇〇字プロット

四〇〇字のあらすじが完成したら、八〇〇字にする。チェックする点は二〇〇字・四〇〇字と同じであるが、もし八〇〇字で書いても、設定やエピソードを上手く収めることができないのであれば、要素が多すぎて上手くまとめられていない可能性が高い。その際は、エピソードの変更やキャラクターの要素を削ってみよう。

八〇〇字は新人賞などで提出するあらすじの規定文字数として求められることの多い文量だ。新人賞に送るあらすじでは、必要な要素や設定を盛り込み、大事なエピソードも入れ、お話のラストまでまとめることが求められる。八〇〇字とはそういった描写までが可能な文字数なので、上手くまとまるまで作り直そう。

もし逆に、エピソードを入れても八〇〇字に届かないのなら、それはまだ物語を考える余地が残っているということ。表面的にはちゃんと考えられた気でいても、実は細かい部分では漠然としているのかもしれない。

また、プロットとして大事なエピソードは決まっているのに、いざ原稿を書き始めるとどうやってその大きなエピソードのシーンまでお話を運んでいけば良いのか分からず、執筆が進まないというタイプの人もいる。そうならないためにも、漠然とした設定やエピソードは可能な限り詰めておこう。もちろん、隙間がないようにがっちりと作りすぎてしまっては、執筆中に軌道修正したり、途中で思い付いたアイデアを取り入れたりする猶予がなくなってしまうので、適度に箍は緩めておきたいところである。

完成した八〇〇字プロットを確認する

八〇〇字という文字数であらすじをまとめられたら、書き上げたあらすじの中に疑問点や矛盾、おかしな点がないか確認しよう。場合によってはエピソードの順番を入れ替えたり、キャラクターや世界設定自体に手を加えたりした方が良い場合もあるだろう。修正した方が良い箇所があればこの段階で何度でも修正するべきである。作品を書いている途中や書き上げてからの修正は大きな工事が必要になり、大変な作業になってしまうので、原稿を書き出す前に調整や修正をしておくのがおすすめだ。

設定やエピソードの修正が終わったら、あらためて八〇〇字で書き直してみる。これが満足いったら完成だ。

ここでは新人賞に投稿することも考え八〇〇字でまとまるように紹介した。仕事で誰かにプロットを確認してもらうことを考えても八〇〇字程度が好ましいだろう。どうしてもまとめることができず一六〇〇字を超えてもまとまらないのであれば、間違いなく再考が必要だと覚えておこう。

二〇〇字で躓いてしまったら……

どうしても二〇〇字に収まらず先に進めないという方は、思い切ってさらに短く考えてみると良いかもしれない。「誰が、何をして、どうなる話」、という作品の大枠を確認するのだ。これはメタプロットといい、どんな話なのか一番の肝が明確にわかる。

「起承転結」でも例にした『桃太郎』でいうなら、「桃から生まれた桃太郎が、鬼ケ島の鬼を退治し、財宝を持ち帰る話」ということになる。おばあさんやおじいさん、きびだんごのくだりや、犬・猿・雉といった仲間には触れていないが物語の大枠はとらえられているはずだ。このように、まずはメタプロットを作り、重要な要素から優先して肉付けしていけば、二〇〇字で収めることができるだろう。

プロットを育てる

執筆初心者には骨組みになる短いプロットを作り、段階を踏んで肉付けしていく方法がおすすめ

200字プロット

200 字で収まる短いプロットをたくさん作ってみよう。
限られた文字数の中で、最低限のテーマや要素が入っていれば、結末まで書き切れなくて OK。この段階では、人物の名前など固有名詞も無理に入れる必要はない

たくさん作った中から、長編になりそうなものを厳選する

400字プロット

200 字では入れられなかった設定や具体的なエピソードを入れ、物語のラストまでを書く。200 文字よりは余裕があるが、分かるように書き込もうとするとすぐ文量オーバーしてしまう。1 番難しいのがこの 400 字プロット。
ゆえに、400 字で上手くまとめることができるなら、ストーリーのバランスが取れているということにもなるだろう

800字プロット

新人賞のあらすじで求められることの多い文字数。800 字では固有名詞や人物の感情の動きなども可能な限り入れ込み、ストーリーの全貌が分かるように書く

もし、800 文字でもまとめられないのなら…

1600字プロット

800 字でまとめることが難しい場合、倍の 1600 字でまとめてみよう。しかし、それでもまとめきれない場合、設定過多になっている可能性が高いので、設定から見直すことをおすすめする

二時間ドラマは教科書

二時間ドラマや子供向けのヒーローもの・特撮ものといった作品は、ストーリーがテンプレート化されており、物語構成を学ぶ良い教科書といえる。二時間ドラマの刑事ものを観てみると、最初にキャラクターや事件の提示があり、主人公が事件に巻き込まれながら真相を探り、終盤に犯人を追い詰め自白、というお決まりの流れがある。子供向けのヒーローものでも同じだ。主人公がその回のゲストキャラクターなどと知り合い、そこにおなじみの悪役が悪さをして、ヒーローが返り討ちにする。

こうしたテンプレート化されたストーリーは何百回と使われているが、キャラクターやストーリー、設定が異なるだけできちんと違うお話として成立する。ヒーローものの例でいえば、『水戸黄門』などでも同じだ。旅の道中知り合った人が何かに困っており、身分を隠したままお話は進むが終盤正体を明らかにして一件落着。

こういったテレビドラマや二時間ドラマがストーリー構成を学ぶ教科書になる理由は、ドラマは決められた時間内でお話が収まるようきっちり時間配分を計算してストーリーが構成されているからである。物語が開始して何分くらいでゲストキャラクターが登場し、何分くらいで事件が起こり、終わり何分前くらいに種明かしが始まるか。流れが決まっている作品はだいたいこの時間配分が変わらない。

ドラマを観ながら、ノートに経過時間と一緒にお話の流れをメモしてみよう。そうすることで、ただ観ているだけの時よりも、どのようなストーリー運びになっているのかが見えてくる。これは四章でも紹介した感想ノートと一緒で、作品を分析することに意味がある。また、海外ドラマもおすすめだ。映画のような濃縮なストーリーがきちんと一時間に収まっている。時間内に収まるということはダラダラした無駄な台詞もないということ。ぜひ、台詞にも注目しながら観てほしい。

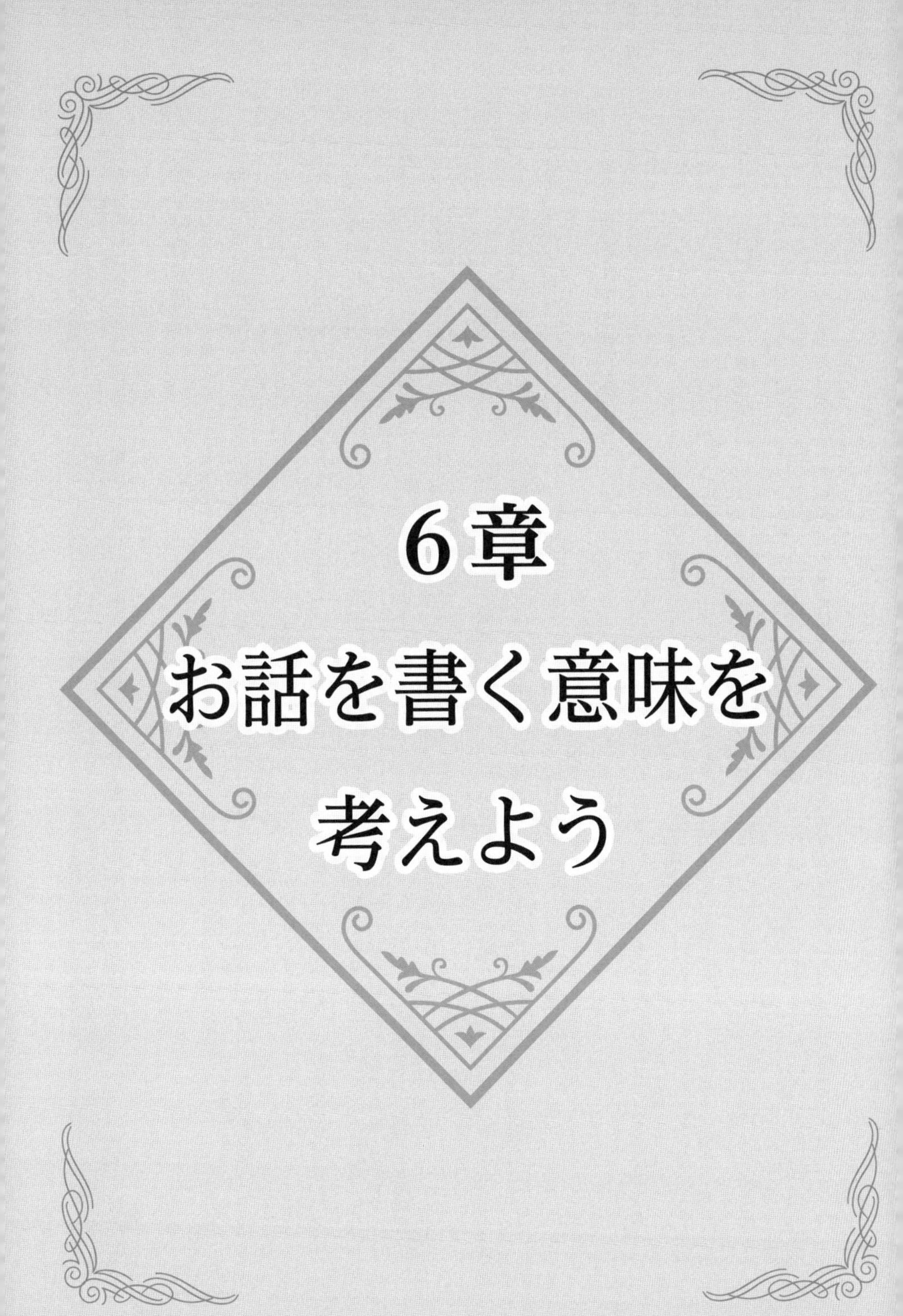

6章 お話を書く意味を考えよう

1 テーマとは何か

テーマの必要性

あなたは小説を書く時にテーマを意識したことがあるだろうか。または、テーマを意識して小説を読んだことがあるだろうか。どちらもないのなら、ぜひ今日から意識してほしい。

「テーマ」とは、作者が伝えたいことや書きたいことであり、物語の指針にも関わってくる重要な要素である。テーマはできれば物語を考えている最中や書き出す前に決められると良い。テーマが決まっていると、物語の方向性が固まるため自然と必要なエピソードや盛り込むべき要素が決まってくる。明確なテーマがあれば読者もその作品が言いたいこと、伝えたいことをなんとなくでも理解しながら読むことができるだろう。

ではテーマがないと書けないのかといえばそんなことはない。書いている最中に固まることもあるし、書き上がってみて改めて「これがこのお話のテーマ」だと気付くこともある。それが分かれば修正のタイミングで足りない要素を書き足していけば問題ない。テーマは遅くても初稿が完成したタイミングで決めよう。

どんなテーマが良いのか？

テーマというと「政治」「社会問題」「生や死」など堅いものをイメージする人もいるだろう。もちろんそれらもテーマだが、必ずしも問題提起するようなものだけがテーマではない。例えば、剣を使った格好良い戦闘シーンを書きたい、かわいい魔法少女を出したい、といったものでも良い。大切なのは作品を通して「これを伝えたい」「ここを見てほしい」というものがあるかどうか。ただしどんなテーマでもそれを伝えるためには具体的なエピソードが必要だ。台詞や地の文ではなく、テーマはお話を通して伝わるように意識しよう。

テーマを決める

テーマとは

作者が書きたいこと、作品を通して伝えたいこと

テーマがあると…

作者

テーマが決まると方向性も決まり、話の軸がズレにくくなる

テーマのために必要なエピソードが自然と決まる

読者

物語の指針がはっきりしていると、読者も考えながら作品を楽しむことができる

読み終わった時にテーマが分かる作りでも問題ない

テーマがないと？

ふんわりした作品になってしまい、何が言いたかったのか分からない“書きたいシーンの詰め合わせ”になってしまう

どんなテーマが良い？

一般文芸や大人向けの作品では「政治」「社会問題」「生と死」「家族愛」などの堅いテーマが扱われやすい

一方で、ライトノベルなどの場合、必ずしも問題提起するテーマである必要はない。1番は作者が何を書きたいのか

書き上げてからテーマを自覚する場合もある

2 誰に向けた作品か

ターゲットによって物語の方向性が決まる

作品を作る時、意識したいことのひとつが「どんな読者を想定するのか」ということである。

主人公の年齢、性別、職業などの設定は、対象読者と密接している。逆をいえば、主人公や作中の登場人物の設定が対象読者にマッチしていなければ、手にとってもらえる可能性も低くなる。

例えば、中高生の女性向け作品を意識するのなら、主人公は中高生の女の子が良いだろう。同年代の女の子が憧れるような展開や共感できるような悩みをエピソードに据えたい。中高生の男子を読者に想定するなら、やはり主人公は読者と同年代くらいが良い。

男性向け、女性向けどちらにも言えるのは、主人公をどこにでもいるような人物に設定しておくと、読者は主人公に感情移入しやすくなる。また、年齢層としてライトノベルの中でも最近では社会人を主人公にした作品も増えた。この場合の読者は主人公と同じ二十代～三十代くらいの場合が多い。

ターゲットを意識するのは他のジャンルでも同様だ。児童書になれば主人公は小中学生になるし、一般文芸（大衆向けのエンターテインメント作品）なら、万人に好まれるような設定にする必要がある。

向き不向きがある

前述したようにテーマや作風は読者に合わせて変えるべきであり、読者によって大きく左右されるものだ。同時に、読者層によっては向かない設定もある。

例えば、児童書に萌え要素やセクシー要素は不要であり、女性向けの作品に露骨でグロテスクな表現は好ましく

ターゲット（想定読者）を決める

ターゲットの例

少年向け	少女向け	キャラクター文芸	児童書
•10代の中高生 •20～30代の社会人	•10代の少女	•10代後半～30代の女性	• 小学生～中学生
↓	↓	↓	↓
ファンタジー要素のある作品が多く、異世界転生やハーレムものが人気	中高生の青春・恋愛模様が描かれる。現代・異世界・後宮ものが人気	働く女性が仕事と向き合う姿や恋愛する様子が描かれる。大人の女性向け	小中学生の友情や教訓が描かれる。内容はライトノベルと近い面もある

それぞれのジャンルやレーベルにあった方向性がある

自分が書きたいレーベルの人気ジャンルや読者層の研究もおすすめ

ない。また、男性向けのものなのに女性が憧れるようなイケメンばかりが登場しても、読者は面白くないだろう。想定読者層向けの商業作品を読んで、好まれる設定を研究してほしい。

ターゲットについて研究しよう

ターゲットが決まったら、彼らについて徹底的に研究してみるのも良いだろう。

もし中年のサラリーマンを主人公にし、ターゲット読者層も同じくらいを狙うのであれば、平日の山の手線に乗ってみて、乗車してくるサラリーマンを観察しよう。「サラリーマンはどんな新聞を読んでいるだろう。スマートフォンをいじっている人と本を読んでいる人どちらが多いだろう。同僚と一緒にいるサラリーマンはどんな会話をしているだろう。持っている鞄や履いている靴はどんなものが多い？」といった具合に、リアルなサラリーマンの姿を見ることができる。

「敵を知ることから」という言葉があるように、攻略したければまず相手のことを知ることが有効な近道であるのは間違いないだろう。

3 キャッチコピーはあるか

キャッチコピー

キャッチコピーは読者に作品の魅力を簡潔に伝えるための謳い文句である。どんな商品にも「ここがこの作品のウリだ！」というものがあるだろう。小説は読んでみないと内容が分からないものだ。そのため、小説のキャッチコピーは書店のポップやポスター、本の帯など目の付く場所に入れられることが多い。あなたもキャッチコピーに惹かれて「面白そうだな」「読んでみようかな」と思ったこともあるだろう。

お話を考える時は、「この作品にキャッチコピーを付けるならこうだ」というのを考えながら作ると良い。どんな読者に読んでほしいのか、想定の読者層ならどんな作品に惹かれるかを考えてみよう。短い文章の中で読者の興味を惹け、作品の内容が伝わることが大切だ。

自分の作品のウリは何か

難しく捉えてしまう人もいるかもしれないが、キャッチになる魅力とはキャラクターの人間関係や設定・能力、世界観といったものである。

テーマは作者が書きたいことや伝えたいことであり、それがそのまま作品の魅力＝ウリになることもある。テーマと違い、キャッチコピーは完成した作品を見てから考えれば良い。通常、帯やポップなどに付けられるキャッチコピーは編集者が考えるが、自分でも考えてみることで、作品のウリが作れているかが分かる。

もし完成した作品を読んで何のフレーズも思い浮かばないようではまずいだろう。その作品を言い表す分かりやすい魅力がないということになる。

キャッチコピーを考えよう

キャッチコピーとは

キャッチは別の言葉でウリ（武器）と言える

➡ 作品の強みであり、読者を惹きつけるポイント

本の帯や宣伝用のポップ・ポスターなどに描かれることが多い

キャッチになる要素とは？

登場人物の人間関係・世界観・設定・能力や
ポスターや挿絵の絵になりそうなシーンなども

キャッチコピーになる要素は読者を楽しませる
エンターテインメント要素ともいえる

キャッチコピーは強烈でかつ目新しさがあると良いが、誇大広告のように内容と乖離していると読者は騙された気持ちになってしまうので、執筆中もどこが作品のウリか意識できるとより良い。

エンターテインメント性

作品のウリや魅力の要素として、エンターテインメント性があるかどうか、という考え方もある。エンターテインメントとは一言でいえば「娯楽」であり、人を興奮させたり楽しませたりすることだ。

ライトノベルでは、読者層が若いこともあってか、暗い話よりもキャラクター同士のセリフが面白かったり、コメディ要素が強かったりと、人を楽しませる要素が多い。キャラクター小説と言われるほど、キャラクターが個性的であるのも、ライトノベルにおけるエンターテインメント要素といえるだろう。

もし自分の作品の良さが客観的に分からないのなら、作品のどんなところで読者に楽しんでほしいのか、その仕掛けはちゃんと作れているのかという点を確認してみると良いだろう。

4 タイトルを考えよう

タイトルは誰が決める？

テーマとキャッチコピーに並んで大切なのが作品のタイトルだ。タイトル一つで作品のイメージや書店での手に取りやすさなども変わる。

商業作品のタイトルがどのように付けられるのか考えたことがあるだろうか。作者に案を求めるかどうかは、出版社や編集者の考え方でも変わってくる。執筆中に作者が付けていたタイトルがそのまま採用されることもあれば、作者に何案か出してもらいその中から選ぶことや、それをベースに編集者が手を加えることもあるし、編集部でタイトルを決めて、決定の連絡がくるケースもある。作者がタイトル案を出す場合でも編集者側で決める場合でも、最終的な決定権は出版社が持っており、作者の意見が必ず通るわけではない。

作者としてはタイトルにも思い入れがあるだろう。しかし、タイトルは商品名であり、売れ行きにも大きく関わる大切な要素だからこそ、出版社側も慎重になる。

タイトルのパターン

タイトルにもいくつかのパターンや流行がある。例えば、左記のようなものだ。

① 主人公名

主人公の名前がタイトルになっているもの。この場合、ダブル主人公で、タイトルになっているキャラクターとは別に語り部役がいることが多い。マンガに多く、小説ではあまり見られないかもしれないが、シンプルで覚えや

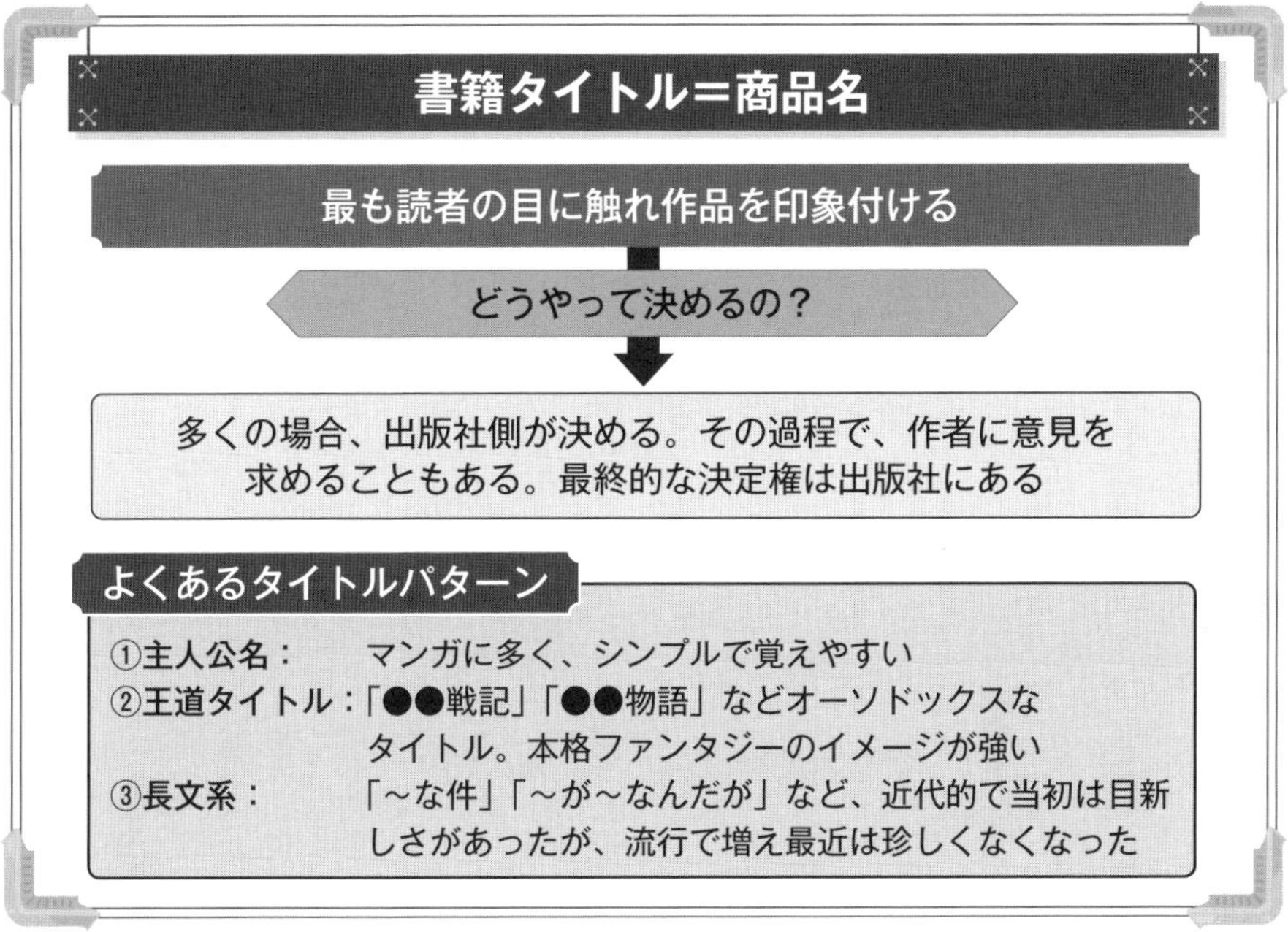

書籍タイトル＝商品名

最も読者の目に触れ作品を印象付ける

どうやって決めるの？

多くの場合、出版社側が決める。その過程で、作者に意見を求めることもある。最終的な決定権は出版社にある

よくあるタイトルパターン

①主人公名：　マンガに多く、シンプルで覚えやすい
②王道タイトル：「●●戦記」「●●物語」などオーソドックスなタイトル。本格ファンタジーのイメージが強い
③長文系：　「〜な件」「〜が〜なんだが」など、近代的で当初は目新しさがあったが、流行で増え最近は珍しくなくなった

すくインパクトのあるタイトルになる。

② 王道タイトル　「●●戦記」「●●物語」

後ろに戦記や物語が付くのは、オーソドックスなタイトルだ。海外ファンタジーや本格ファンタジーに付けられることが多く、少し堅いイメージがある。だが、それだけに格好良い印象も与える。

③ 長文系

いわゆる文章になっているタイプのタイトルであり、最も近代的だろう。最初は「〜な件」など、匿名掲示板のスレッドタイトルに使われることが多かったものを摸っていたが、次第に内容紹介のようなものに変化してきた。内容がダイレクトに伝わるタイトルなことが多い。

以上は一部の例だが、ライトノベルでは近年「長文系」が流行っている。当初は目新しさもあり目を引くことが多かったが、最近では長文タイトルが増え、珍しさはなくなっただろう。そのため、響きや語呂の良さ、タイトルで興味を惹かせるセンスも求められている。

5 オリジナリティーを入れよう

唯一無二の作家になろう

小説における「オリジナル性」の大切さを話していこう。

あたなには好きな作家やアーティストがいるだろうか。どんなところがその人の魅力かと問われた時、なんと答えるか考えてみてほしい。その答えが、あなたがその人に感じている個性であり、魅力である。

個性のことをカラーなどという言い方をするが、小説にも作者のカラーは出やすい。文体やキャラクターの台詞、行動、言い回し、選ぶ言葉などに作者の個性が出る。同じような展開の作品であっても、作者Aの作品は好きだけど、作者Bの作品は面白くなかったということもあり得る。それは、その作者ならではの作風が、あなたの好みに合っているということだろう。

作品のファンであると同時に作者のファンになってもらうためには、唯一無二の作家になる必要がある。他の誰も思い付かない発想、書かないこと、独特の感性。そういったものが、作家のオリジナル性を作るのだ。

オリジナル性の危険

いざオリジナル性を出そうと思っても、これが難しい。自分では独創性を出しているつもりでも、他者から見た時それが機能していなければ意味がない。

オリジナル性を出す最も簡単な方法は、普通とは違うことをすれば良い。それだけで、「お、この作家ちょっと他の作家と違うぞ」と思わせることができる。

しかし、王道パターンでも話したように、読者はお決まりの展開に安心感や期待を抱いている。オリジナル性

オリジナル性とは？

歌手…　透明感のある美しい歌声
芸人…　瞬発力のある面白いトーク術
モデル…９頭身で美脚が魅力な美女　　　など

小説家の個性とは？

文体・キャラクター性（性格・口調など）、キャラクター同士の掛け合い、物語構成のどれかに魅力やオリジナル性があるか

個性を出すには？

普通とは違うこと、王道から外れた要素を入れてみる

王道通りの展開にならず、読者の期待を裏切ってしまう可能性もある

を出すために普通とは違うことをして、読者の不快感を買ってしまうリスクもある。発想の転換をする時は、読み手を不快にしてしまわないか、細心の注意を払おう。

完璧なオリジナルは難しい

作家にとって、まだ誰も書いたことがないまったくの新しいジャンルや物語を生み出すことができたら、それは究極のオリジナルだろう。しかし、ライトノベルの解説や王道パターンの項目でも触れたように、世の中に溢れている作品のベースは、誰かが既に書いているお話を、キャラクターやストーリーを変えて再構築したものである。

作家たちはその中で、なんとか自分が持っているオリジナル性を取り入れて、自分らしい小説を書いている。ギャグセンスがピカイチな作家がいれば、引き込ませる文章を書く作家もいる。キャラクターを動かすのが上手な作家もいる。そのどれが読者の琴線に触れるかは分からない。アイデアだけではなく、文体やキャラクターの台詞など、どんな部分にあなたらしさが出せるか考えてみよう。

企画ものの小説を書く

プロの小説家になると、企画ものの小説を書く機会がある。ケースはさまざまあるが、一つは世界設定やキャラクター設定が既に決定しており、小説の執筆のみを依頼されるケースだ。この場合プロットが用意されていることもあれば、プロットからの制作を求められることもある。作家は依頼主の要望に応えるように作品を書かなければならない。

次に、シェアードワールドという設定を使ったアンソロジーなどのケースである。シェアードワールドとは、その名の通り「共有した世界」を舞台とした作品集。世界設定はあらかじめ決まっており、同じ世界を使って複数の作家が作品を書く。作品に登場するキャラクターたちは、すべて同じ世界線に存在しているという考え方である。そのため、自分の作品に他の作家のキャラクターを登場させるケースや、その逆もあり得る。

先にあげた二つのケースは、依頼者と打ち合わせをしながら書き進めていくことができるし、世に出ている原作がないという点で、あなたなりのオリジナル性も出しやすい。設定やお話に大きく関わるようなことがない限り、あなたらしさを出すことは問題ない。

三つ目のケースは前述したノベライズだ。企画ものとほぼ同じだが、違うのは作品にファンが付いているという点。アニメやゲームなどの原作を通し、ファンの中では世界観やキャラクターのイメージが固まっている。作家はファンの抱くイメージを壊さないように執筆する必要がある。その点では、ノベライズが一番難しいかもしれない。マンガの実写ドラマ化やアニメ映画化をした際、原作とキャラクターの性格が変わってしまっているように感じたことはないだろうか。作者以外が不自然にならないように作品に手を加えるというのは案外難しい。しかし、それができれば執筆経験として十分な実績になる。ノベライズには興味がないという小説家志望者もいるが、人気作のノベライズの執筆を任されればそれだけで名前を売ることができるし、評価されて別の仕事依頼が来る可能性も

「企画もの」＝依頼されて書く作品

ケース①：設定が決まっている企画の執筆

世界設定・キャラクター設定などが依頼段階で決まっている

➡ プロットまで用意されている場合と、プロット含め作家に託される場合がある

ケース②：アンソロジーの執筆

複数の作家が同じ世界観を共有（シェアードワールド）して書くアンソロジー形式

原作の存在しない作品なので作家のオリジナル性を出しやすい

ケース③：ノベライズ

アニメ・マンガ・ゲームなど、原作がある作品の小説化

ある。

どんな仕事もチャンスだと思ってチャレンジしてほしい。

他人のプロットでも遠慮せずに書こう

企画ものの小説など、用意されたプロットをもとに作品を書かなければいけない時、どこまで自由に書いて良いのか分からない、という人もいるだろう。それが仕事となると、失敗できないと遠慮がちになってしまい、普段通りの文章が書けない人もいる。その結果、描写不足であったり、ふわっとした書き方になったりしてシーンがイメージできない内容になってしまう。

結論から言うと、自分が考えた作品でなくても自分の思うように書いて問題ない。作品の意図や方向性については事前に打ち合わせをするので、そこから大きく外れなければ、いつも通り自分の感覚で書けば良いのだ。

気を使いすぎて中途半端な作品になってしまっては、かえって依頼側の信用を失いかねない。変に遠慮して作品のクオリティーを下げるよりも、自分の書ける最高の文章で執筆すれば問題ないだろう。

Column④

良いインパクト・悪いインパクト

読者をあっと驚かせたり、物語に引き込むにはインパクトが重要である。頭では分かっていても、インパクトを作るのは簡単ではない。オリジナリティーある奇抜な発想は目新しく、読者の興味を惹きやすい。しかし、この奇抜な発想、インパクトというのには注意が必要だ。なぜなら、必ずしも万人受けするとは限らないからである。

世の中には何百年も前からさまざまな物語が存在し、パターンもネタもやり尽くされている。その中でオリジナル性を出すためには、誰も考えたことがないようなアイデアが必要となる。このアイデアを「面白い！」と思ってもらえれば良いが、最悪なのは作者の独りよがりで読者を置いてけぼりにしてしまうことだ。奇抜な発想は確かにインパクトがあるが、読者がついていけなくてはただの悪目立ちになってしまう。読者がついていけないようなナンセンスすぎるギャグや、度を超えた猟奇的な展開は、読者が引いてしまうかもしれない。

良いインパクトとは、その設定が魅力的であり、面白い、楽しい、もっと読みたい、先が気になるというような前向きな感情を読者が抱けるもののことだ。作者は常に読者側の立場に立って、不快、気持ち悪い、もう読みたくないというマイナスな気持ちを抱かせない設定や展開になっているかを考えながら物語を作るべきである。

ただ、エンターテインメント作品では、マイナスな気持ちを抱かせるようなインパクトは好ましくないケースが多いだけで、一定数そういった話やジャンルを好む読者がいることも事実。あなたがそのような読者を対象とした作品を書きたいと考えているのなら、需要と供給はマッチしている。

良いインパクト・悪いインパクトはどちらに転ぶか紙一重である。あなたが書きたい作品を求める読者はどんなレーベルの作品を読むのか、どこでなら自分の作品を受け入れてもらえるのかをリサーチし、自分なりのオリジナリティーを物語にしてほしい。

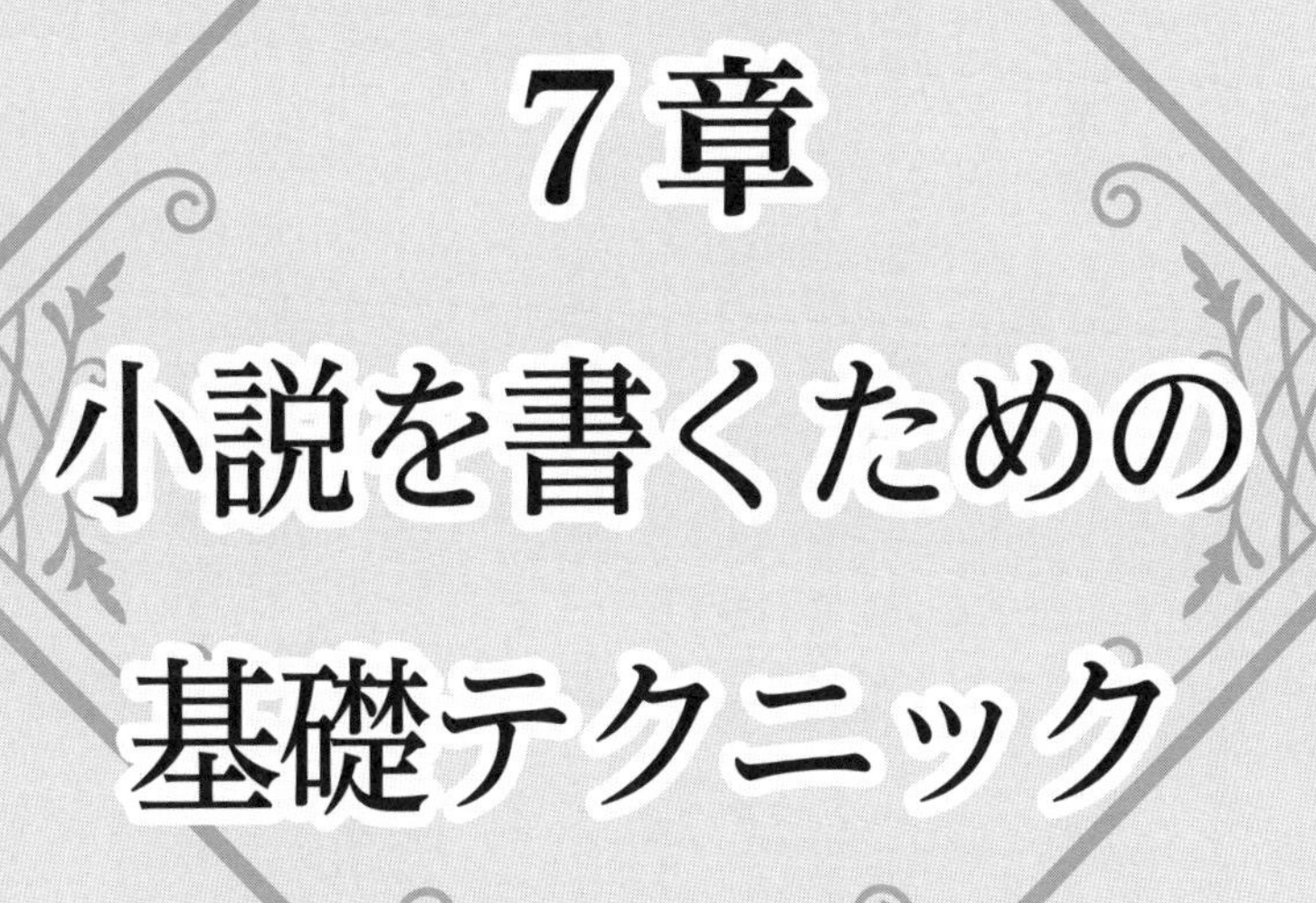

7章
小説を書くための基礎テクニック

1 さまざまな文体を知ろう

人称とは

人称は文語表現において話し手（自称）、聞き手（対称）、それ以外の第三者（他称）を区別するための手法である。小説では主に話し手目線と第三者目線で描かれることが多い。この話し手の視点で描く手法を「一人称」、第三者の視点で描く手法を「三人称」と呼ぶ。それぞれにメリット・デメリットがあるので確認していこう。

①一人称

一人称は小説の上では語り手視点の文体だ。人称代名詞は「私」「僕」「俺」など自分自身を指す名詞を使う。語り手＝主人公のことが多いが、『シャーロック・ホームズ』のワトソン君のように、主人公の近くにいる人物が語り手になることもある。語り手が誰の視点であれ、一人称で書く時の視点はその人物一人に絞ることが鉄則である。イレギュラーはあるが、特別な意図がない限りは視点を変えるべきではない。一人称の特徴は語り手自身の目線で書くことができるため、心の声なども地の文に書き込める点だ。一方で、主人公が知らない・経験していないことは書けないのが一人称のデメリットといえる。

②三人称

三人称は「神の視点」とも言われ、作中に登場する誰でもない俯瞰の視点で描く文体だ。人称代名詞は登場人物の名前を使い、表情や仕草などは完全に第三者の視点で描写される。そのため、基本的に人物の心の声を地の文に書き込むことはできない。代わりに視点の変更は可能で、主人公が登場しないシーンや、主人公の知らない情報も

さまざまな文体

人称とは？

文語表現において話し手＝「自称」、聞き手＝「対称」、
それ以外の第三者＝「他称」を区別する手法

小説の地の文で話し手の視点で書く手法を**「一人称」**
第三者の視点で書くことを**「三人称」**と呼ぶ

①一人称

語り手視点の文体。主語となる人称代名詞は「私」「僕」「俺」など。

メリット：　語り手が感じたことや思ったことをダイレクトに地の文へ書き込むことができる

デメリット：基本的に語り手以外への視点の変更はNG。語り手の知らないことは書けない

②三人称

「神の視点」。作中に登場する誰でもない俯瞰の視点で描くことができる。人称代名詞は人物の氏名（太郎、花子など）。

メリット：　複数の人物の視点へ変更することが可能で、表情や仕草、主人公の知らない情報なども書くことができる

デメリット：人物の心の声を地の文へ書き込むことはできない

③二人称

読者に語りかけるような特殊な文体。人称代名詞は「あなた」「君」など。

めったに使われない文体だが、ケースとしては手紙で語りかけているようなシチュエーションや作品全体が回想の場合など

④特殊な三人称（隠れ一人称）

文体は三人称だが、視点を１人に絞る手法。人称代名詞は三人称と同様。

メリット：　一人称と同様に、心の声を地の文へ書き込むことが可能

デメリット：主人公以外へ視点変更することはできない

書き込むことができるのが特徴である。

③二人称

少し特殊な文体に二人称がある。二人称の人称代名詞は「あなた」や「君」であり、小説においては読者に語りかけるような文章になる。この手法は使いどころが難しいが、手紙で書き手が語りかけてくるというシチュエーションや、作品全体が回想となっており語り手が読者に語り聞かせるような構成の時に使える手法だ。

④特殊な三人称

三人称の中に「隠れ一人称」とも呼ばれるような特殊な三人称がある。これは、基本的な文体は三人称のまま、誰か一人に視点を絞る書き方だ。本来三人称ではシーンによって登場人物の視点を変更することが可能だが、それをあえて封印し、主人公一人の視点と決めたらすべて主人公視点で書かなければならない。一人称の時のように主人公の登場しないシーンは書けず、主人公の知らない情報も書くことはできない。

その代わり、主人公の気持ちを地の文に直接書き込むことができる。「これは誰の心の声？」と混乱を招かないよう、決めた人物以外の心の声は地の文では挿入しないよう注意しよう。あくまで三人称なので人称代名詞は「僕」「私」ではなく、人物名となる。つまりこの特殊な三人称は、三人称と一人称の良いとこ取りの文体なのだ。

このように小説の文体にはさまざまな種類がある。作風や何を描きたいのかによって合う文体を選ぶのが良いが、どちらも書き慣れていないと難しく感じるだろう。また、向き不向きもある。

あえてどちらがおすすめかといえば、三人称だろう。一人称よりも文体の自由度が高く（）で心の声を挿入することもできるし、変な文章のクセがつきづらい。執筆初心者はまず三人称の書き方に慣れておくのが良いだろう。

2　書き出しの重要性

明暗を分ける書き出し

作品の中で山場やクライマックスなど、力を入れて書きたいシーンはいくつかあるが、中でも書き出しは最も時間をかけても良いほどに重要である。

読者が書店で本を手にする時、どこを見て購入を決めるだろうか。まずは表紙やタイトルをチェックするだろう。次に裏表紙のあらすじや帯の文章に目を通す。ここで面白そうだと感じれば試し読みをする人もいる。ライトノベルでは挿絵を楽しみにする人も多いので、挿絵のチェックをする人もいるだろうが、多くの人は書き出しの文章を読むのではないか。そして、読者が読むのは最初の一～三行程度と思っておいた方が良い。ここで読者の興味を惹ける書き出しになっているかが明暗を分けるのだ。

大げさに聞こえるかもしれないが、書き出しの文章が面白ければ買ってみようと思う読者は一定数いる。せっかく手にとってくれたのに「つまらなそう」と棚に戻されてしまってはもったいない。

頭痛がするほど悩むべし

では、どのような書き出しが良いのか。

やはりインパクトは大事である。いきなり衝撃を与えるような事実の提示や、「これはなんだろう？」と先が気になる情報を見せれば、読者は読まずにはいられない。

また、作中で一番面白いシーンから始めるのも手だ。「起承転結」の項目でも触れた、山場の戦闘シーンなどをプロローグとして冒頭に持ってくるホットスタートの手法である。面白いシーンを少しだけ見せることで、読者の

書き出しの重要性

書き出し＝本文で最も読まれる可能性が高い

➡ 買う前の試し読みをする人も多い

せっかく本を手にとってもらえても、
冒頭で読者の興味を引けないと、読まれる可能性が下がってしまう

だからこそ、冒頭のインパクトは大事！

期待値も高まる。

読者を引き込みやすい手法として、台詞からスタートする書き出しもある。突然台詞から始まると、読者はいきなり場面の中に放り込まれることになり「なんだ？」と疑問を抱く。台詞スタートは読者の興味を引きやすい手法だが、小説のテクニックとしては比較的簡単な手法でもあるので、作家として表現力を上げたいのなら、多用は避けた方が良いだろう。

作品の書き出しは確実に売り上げにも影響を与えるし、読者の第一印象も左右する。だからこそ、時間をかけてでも頭痛がするほど悩んで、最高の書き出しを考えてみてほしい。

印象的な書き出し

印象的な書き出しは、読者の興味を引けるだけでなく、記憶に残りやすい。次のページに、冒頭が有名な名作の書き出しを例として系統別にまとめてみた。

どれも有名なので、作品を読んだことがなくても書き出しの一文だけは知っている、という人も多い作品だろう。書き出しの参考にしてみてほしい。

名作から見る書き出し

名作の中にも印象的で有名な書き出しがいくつかある。ここでは名作から書き出しについて見てみよう。

◇インパクト系

『吾輩は猫である』夏目漱石

吾輩は猫である。名前はまだ無い。

『走れメロス』太宰治

メロスは激怒した。

どちらも誰もが知っているだろう有名な書き出しだ。夏目漱石の『我が輩は猫である』は書き出しがそのままタイトルになっている。唐突に猫の視点で始まる上に自らを「我が輩」と呼ぶ男爵のような口調にインパクトがある。太宰治の『走れメロス』はスパっと簡潔な一文だが、だからこそ勢いがある。読者は「何にそんなに怒っているの？」と続きが気になるだろう。

◇ミステリアス系

『こころ』夏目漱石

私はその人を常に先生と呼んでいた。だからここでもただ先生と書くだけで本名は打ち明けない。

『檸檬』梶井基次郎

えたいの知れない不吉な塊が私の心を始終圧えつけていた。

『こころ』は高校の教科書にも掲載されていたことのある、夏目漱石の代表作の一つだ。作中に〝先生〟の名前は登場せず、「〝私〟とは誰で〝先生〟とはどういう関係なの?」と読者の興味をそそる書き出しである。

梶井基次郎の『檸檬』は何やら大げさな書き出しで始まり、〝不吉な塊〟の正体が気にならずにはいられない。しかし作中で塊の正体は明かされない。読んでみればただ書店に檸檬を一つ置き逃げするだけの話である。しかし、その緊張感が最初の一行からしっかり伝わってくる。

◇衝撃の事実系

『変身』フランツ・カフカ(翻訳:原田義人)
ある朝、グレゴール・ザムザが気がかりな夢から目ざめた時、自分がベッドの上で一匹の巨大な毒虫に変ってしまっているのに気づいた。

『桜の樹の下には』梶井基次郎
桜の樹の下には屍体が埋まっている!

朝起きたら自分が虫になっていた。そんな衝撃的な展開から始まる『変身』。なぜ虫になり、結末はどうなるか。一気に物語りへ引きずり込む導入だ。同様に『桜の樹の下には』も〝桜〟と〝屍体〟というミスマッチかつショッキングな書き出しとなっている。しかし、似つかわしくないのに美しさも感じさせる組み合わせが印象的である。

梶井基次郎は短編作が多い作家であり、短い分量だからこそ冒頭で読者の心を掴む技術が必要になる。代表作は少ないが『檸檬』や『桜の樹の下には』のように印象的な書き出しの作品が多い。

以上はほんの一部ではあるが紹介した。名作や人気作の冒頭を読むだけでも書き出しの勉強になるだろう。

引用の出典一覧

引用している作品についてはすべて、インターネットの電子図書館
「青空文庫」（https://www.aozora.gr.jp/）に基づくものです

『吾輩は猫である』夏目漱石

底本：「夏目漱石全集 1」ちくま文庫、筑摩書房
　　1987（昭和 62）年 9 月 29 日第 1 刷発行
底本の親本：「筑摩全集類聚版　夏目漱石全集　1」筑摩書房
　　1971（昭和 46）年 4 月 5 日初版
初出：「ホトトギス」
　　1905（明治 38）年 1 月、2 月、4 月、6 月、7 月、10 月
　　1906（明治 39）年 1 月、3 月、4 月、8 月

『走れメロス』太宰治

底本：「太宰治全集 3」ちくま文庫、筑摩書房
　　1988（昭和 63）年 10 月 25 日初版発行
　　1998（平成 10）年 6 月 15 日第 2 刷
底本の親本：「筑摩全集類聚版太宰治全集」筑摩書房
　　1975（昭和 50）年 6 月～ 1976（昭和 51）年 6 月

『こころ』夏目漱石

底本：「こころ」集英社文庫、集英社
　　1991（平成 3）年 2 月 25 日第 1 刷
　　1995（平成 7）年 6 月 14 日第 10 刷
初出：「朝日新聞」
　　1914（大正 3）年 4 月 20 日～ 8 月 11 日

『檸檬』梶井基次郎

底本：「檸檬・ある心の風景　他二十編」旺文社文庫、旺文社
　　1972（昭和 47）年 12 月 10 日初版発行
　　1974（昭和 49）年第 4 刷発行
初出：「青空　創刊号」青空社
　　1925（大正 14）年 1 月

『桜の樹の下には』梶井基次郎

底本：「檸檬・ある心の風景　他二十編」旺文社文庫、旺文社
　　1972（昭和 47）年 12 月 10 日初版発行
　　1974（昭和 49）年第 4 刷発行
初出：「詩と詩論」
　　1928（昭和 3）年 12 月

『変身』フランツ・カフカ（翻訳：原田義人）

底本：「世界文学大系 58　カフカ」筑摩書房
　　1960（昭和 35）年 4 月 10 日発行

3 語彙力を養おう

インプットで言葉を蓄積しよう

英語の勉強をする時、文法だけが分かっても言葉を知らなければ話すことはできない。中学や高校で単語帳をたくさん暗記したという人も多いだろう。

これは日本語でも同様だ。普通に生活しているだけでは、新しい言葉を知る機会に限度がある。だからこそ、積極的にインプットをしていこう。より多くの言葉を知り語彙力（ボキャブラリー）を養いたいのなら、たくさん本を読むと良いだろう。難しい本でなくても良い。小説でも自然と言葉や使い方を覚えることができる。もう少し難しい言葉を知りたいなら、一般文芸や日本文学を読むことをおすすめする。ライトノベルなどの若者向け作品よりも想定読者の年齢が高いため、堅めな表現や言葉遣い、言い回しを知ることができるだろう。

小説に限らず、伝記や事典なども言葉の宝庫だ。国語事典や百科事典を流し見て、気になる言葉はすぐその場で調べるのも良い。

さらに、テレビのニュースや新聞には旬や話題の言葉が溢れており、新しい言葉や流行のワードを取り入れられる。また、アナウンサーの正しい言葉遣いを聞くことで、間違った使い方を避けることができる。さらに、普段の日常会話で使わない政治用語など、専門的な言葉に関わる出来事も知ることができるので、知識の幅が広がりやすくなるだろう。

会話で養う語彙力

インプットの方法は読んだり見たりすることだけではない。他人との会話も言葉を知る機会になる。

表現力の幅を広げる語彙力

もっと表現力を
身に付けたいな

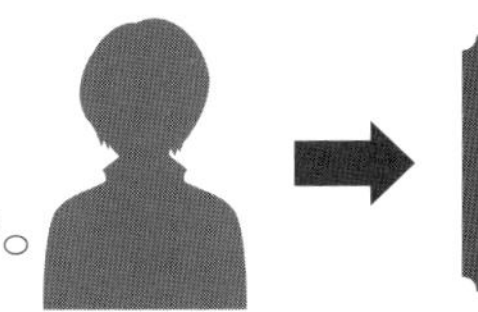

言葉を知らなければ、
表現の幅を広げるのは
難しい

普通に生活しているだけでは語彙力（ボキャブラリー）は増えない

どうすれば良い？

本を読む　辞書を読む　新聞を読む　TVのニュースを見る　など

家族や学校の先生、バイト先の先輩など、幅広い世代の人と喋ると、
その年代の人がよく使う言葉を知ることができる

できれば、同世代より別の世代との会話が良いだろう。同世代との会話は知っている言葉や使う言葉が近いため、バリエーションを増やす意味では限界がある。その点年上との会話では人生経験や社会経験がある分、よりいろいろな言葉を使うだろうし、逆に幼い子供との会話は年齢に合った易しい言葉の参考になる。

もし会話の中で分からない言葉や知らない知識が出てきたら、恥ずかしいとは思わず素直に聞いてみると良いだろう。

表現の幅が広がるボキャブラリー

知っている言葉が増えると、同じことを言いたい時でもさまざまな言い方ができるようになる。

例えば、「見る」という表現には、「視線を向ける」「睨む」「目で追う」などといった言葉に言い換えが可能だ。「聞く」なら「耳を澄ます」「耳を傾ける」「小耳に挟む」、「言う」なら「告げる」「紡ぐ」「話す」「語る」などという言葉になるだろう。

言葉を知れば表現の幅もぐっと広まり、同じような言い回しを避けることができるので、意識して生活しよう。

4 オノマトペを使いこなす

オノマトペとは

オノマトペとはいわゆる擬音語や擬態語のことで、声・感情・動作・自然界などの状態を言葉で表す時に用いる表現技法を指す。種類によって擬声語と呼ばれるものもある。オノマトペの日常的な使い方は「ドアをトントンと叩く」「明日は面接でドキドキする」「犬がワンワンと鳴く」などがある。知ってみれば難しいものではなく、あなたも無意識に日常的に使っているのではないだろうか。

オノマトペの注意点

オノマトペに分類される言葉は、親しみやすく言葉の響きだけで誰もがイメージしやすいものが多い。例えば「シクシク泣く」や「キャベツをザクザクと切る」という一文があった時、どのような状況か簡単に光景を想像できるだろう。日常会話では、擬音が多くなってしまってもあまり違和感はない。

しかし、小説でオノマトペを多用するのは注意してほしい。次の例文を見てみよう。

【例】ブァーという大きな音の直後、ドンッという衝突音が響いた。次の瞬間、ダンッと強い衝撃が体を襲い、ズキズキとした痛みが体中にジワりと広がっていく。掠れる視界に、バタバタと駆け寄ってくる人たちの姿が見えた。

交通事故に遭ったシーンだが、あなたにはどの程度情景が伝わっただろう。たった二行だが、オノマトペは六回も使用されている。このシーンを細かな描写で伝えようと思えば、さらに三行は増えるだろう。また、使われてい

オノマトペを上手に使おう

オノマトペとは

擬音語や擬態語。
耳で聞こえる音、対象のものを連想させる音や物事の状態を言葉にしたもの

声　感情　動作　自然界の音　など

自然界に存在する音　→「トントン」「ワンワン」など
状態や身振りなどを表す音　→「ドキドキ」「キラキラ」など

メリット

耳で聞こえる音には、ある程度共通認識のイメージがあるため、音だけでそのもの、または状態をイメージしやすい

デメリット

オノマトペの多用は、描写不足を招いたり、安っぽい印象や稚拙な印象を与えてしまいがち。多用は避けた方が無難

るオノマトペは妥当だろうか。事故直後の痛みはズキズキで合っているか、むしろアドレナリンが出て痛みを感じない可能性もある。事故の衝撃もドンッ、ダンッで片付けられているが、ここはちゃんと描写した方が緊迫感が出るはずだ。

このように、執筆初心者ほどオノマトペに頼って説明不足になりがちである。他には怒っている心情を「イライラしている」という一言で片付けてしまったり、戦闘シーンで「ガンッ」「キンッ」など、剣と剣がぶつかり合う音などを擬音で表現したり。決してそれがダメということはないが、擬音が多いとチープな印象を与え、好まない読者も出てくる。せっかく言葉で表現できる小説を擬音で片付けるのはもったいない。

細かな描写をした方が読者には伝わりやすいし、臨場感も増す。書き慣れていない人ほど、執筆に慣れるまではオノマトペを封印し、言葉で表現することを意識するのも良いだろう。その方が文章力や表現力、描写力の向上にも繋がるはずだ。オノマトペを使用する際は、描写不足になっていないか、多様していないかに注意しながら使用しよう。

5 主語・述語・修飾語

日本語の三大要素

ここからは、文章を書く上で大切な、日本語の文法に焦点を当てていこう。

主語と述語は日本語の文章を構成する上で骨格となる最重要な成分である。

【例1】主語+述語「マリアは　女の子だ」

【例2】主語+修飾後+述語「マリアは　可愛らしい　女の子だ」

最初の例文は「マリアが」が主語で「女の子だ」が述語になる。通常は名詞や代名詞を主語、動作や「●●だ」など主語に対する結論を述べるのが述語という。修飾語は、主に言葉を詳しく補うための要素。例2でいえばマリアがどんな女の子かを表す「可愛らしい」がこれに当たる。小説で問題になりやすいのが混乱した修飾語である。

【例3】子供が好きなヒーロー

例文3の修飾語は「好きな」だが、好きなのは子供とヒーローのどちらだろう。結論はどちらにも取れる文章で、人に何かを伝える文章としては間違った文章だ。このような混乱は長文になるほど起こりやすい。

これを避ける最も簡単な方法は、無理に長い文章を作らないことだ。「主語+修飾語+述語」は基本構成の文体であるだけに意識する人は少ないので、短い文章を書く時も気を抜かず丁寧な文章を心がけよう。

基本の文法

例①

主語 → 述語

マリアは　女の子だ

一番分かりやすい「主語＋述語」の形。
主語と述語がワンセットになっていると、読みやすく伝わりやすい

例②

主語 → 述語

マリアは　可愛らしい　女の子だ

修飾語 → 述語

修飾語を入れることによって、文章がより詳しく分かりやすくなる。ただし、修飾語を一文の中に複数入れると、どの修飾語がどの語句にかかっているのか混乱を招くので、長文になる場合は短い文章に切る方が良いだろう

例③

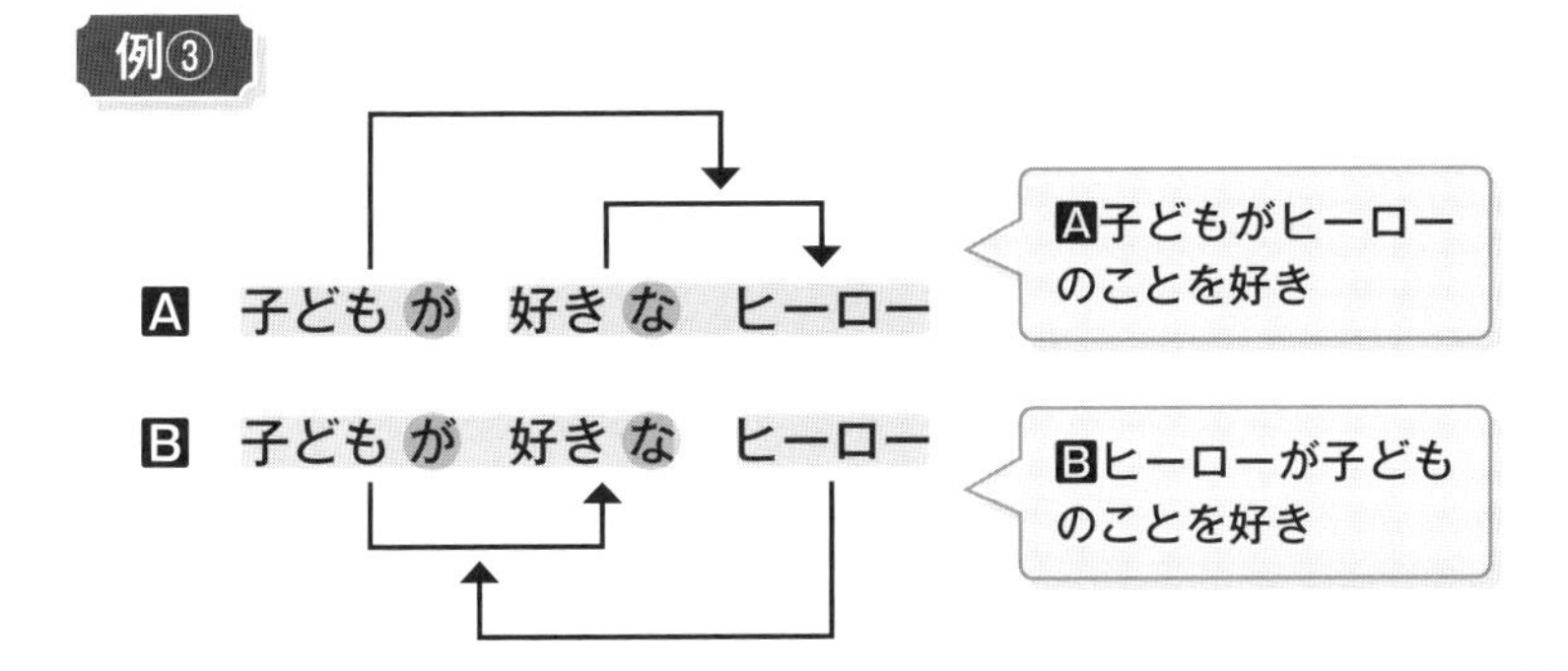

修飾語の「好きな」が「子ども」と「ヒーロー」のどちらにかかっているのか分かりづらく、２つの意味で取れてしまう文章。Aは頭に「彼は」などと付けると伝わり易くなる。Bは「が」を「を」または「子どものことを」などとすると伝わりやすいだろう

6 助詞・助動詞を正しく使う

自立語と付属語

助詞と助動詞の説明の前に「自立語」と「付属語」について説明しよう。先ほど紹介した主語や述語は単語単体で意味を持つ語句であるので、自立語と呼ばれる。前項の例文を使ってみてみよう。

【例】マリアは可愛らしい女の子だ

これを細かく区切ると「マリア　は　可愛らしい　女の子　だ」となる。この中で自立語はそれだけで意味の通じる「マリア」「可愛らしい」「女の子」だ。そして、それ以外の「は」「だ」が付属語である。

これらを助詞という。また、助詞の中でも活用があるものを助動詞という。活用とは未然形・連用形・終止形・連体形・已然形・命令形という、中学校で習っただろう文法の活用形のことで、例えば「早く走る」の「る」が助動詞であり、「走る」は「走らず」「走り」「走れば」などと変化が可能である。

品詞

助詞や助動詞は日本語文法では「品詞」に分類され、品詞には助詞・助動詞のほかに動詞・形容詞・形容動詞・名詞・代名詞・副詞・連体詞・接続詞・感動詞がある。今回は小説執筆で扱いが重要な助詞・助動詞のみに触れ、ほかは割愛させていただく。その代わり、品詞の種類と分類について左のページで表にまとめておいたので、ぜひ参考に見ていただきたい。

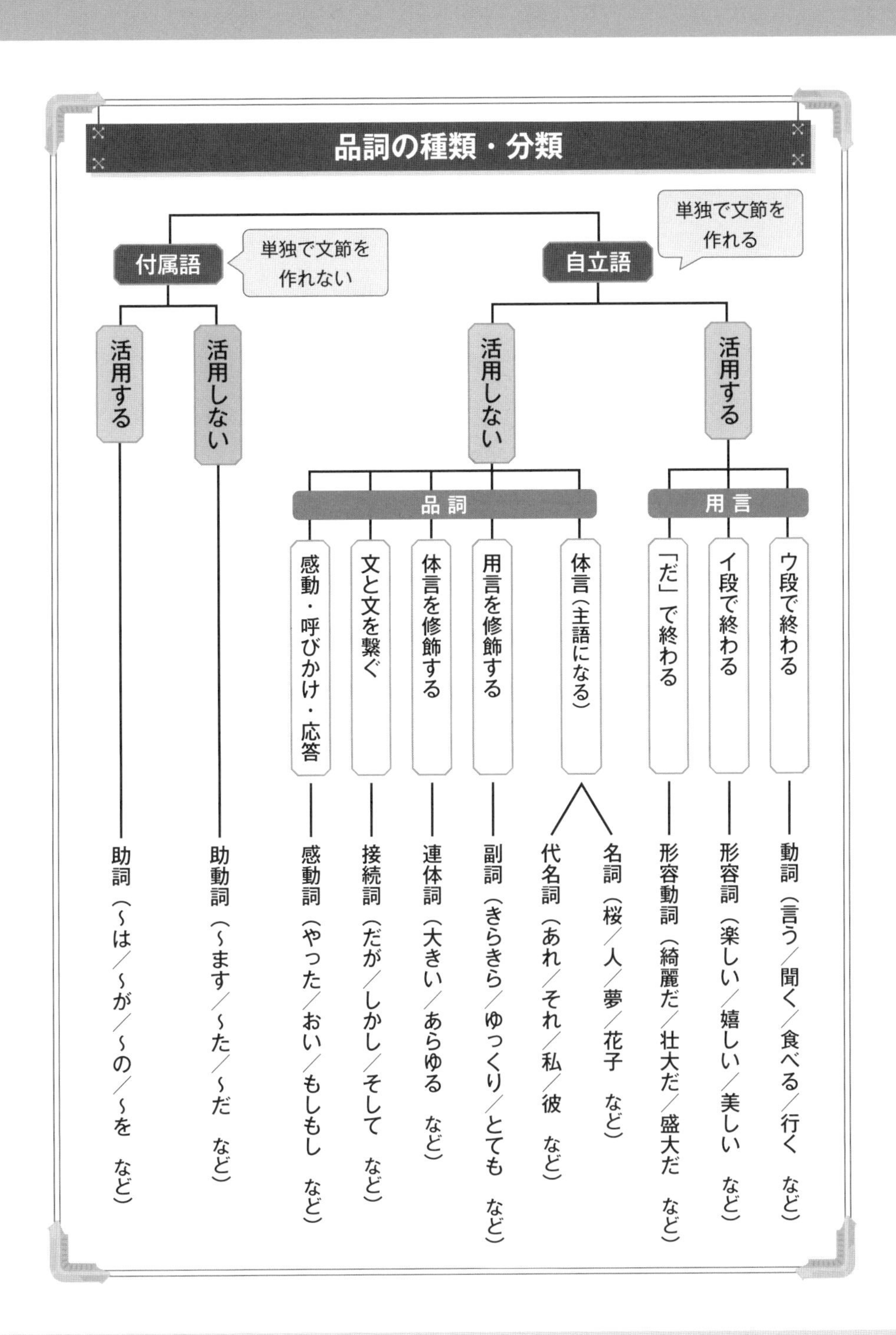
品詞の種類・分類
付属語
単独で文節を作れない
自立語
単独で文節を作れる
活用する
活用しない
活用しない
活用する
品詞
用言
感動・呼びかけ・応答
文と文を繋ぐ
体言を修飾する
用言を修飾する
体言（主語になる）
「だ」で終わる
イ段で終わる
ウ段で終わる
助詞（〜は／〜が／〜の／〜を　など）
助動詞（〜ます／〜た／〜だ　など）
感動詞（やった／おい／もしもし　など）
接続詞（だが／しかし／そして　など）
連体詞（大きい／あらゆる　など）
副詞（きらきら／ゆっくり／とても　など）
代名詞（あれ／それ／私／彼　など）
名詞（桜／人／夢／花子　など）
形容動詞（綺麗だ／壮大だ／盛大だ　など）
形容詞（楽しい／嬉しい／美しい　など）
動詞（言う／聞く／食べる／行く　など）

助詞とは

助詞とは、いわゆる「てにをは」のことである。しかし、なぜ「てにをは」なのか現代の日本人でピンと来る人はいないだろう。「てにをは」はもともと漢文を訓読みする際の補助として、漢字の四隅に付けられた点（ヲコト点）を左下から右回りに読んだことが由来となっている。現在日本語の「てにをは」といえば助詞を指す言葉だが、実際の助詞は種類も多く使い方が複雑だ。

助詞はさらに細かく格助詞・並立助詞・接続助詞・副助詞・係助詞・終助詞・間投助詞の七つに分かれる。

①格助詞 が／の／を／に／へ／と／から／より／で

②並立助詞 の／に／と／や／し／やら／か／なり／だの

③副助詞 ばかり／まで／だけ／ほど／くらい・ぐらい／など／ずつ／のみ／きり／や

④係助詞 は／も／こそ／でも／しか／さえ

⑤接続助詞 ば／と／でも／けれど／が／のに／ので／から／し／て・で／なり／ながら／たり／つつ　など

⑥終助詞 か／な／とも／の／ぞ／ぜ／や／かい／よ／ね／さ／のに／やら／が／ものか／わ

⑦間投助詞 さ／よ／ね／な

日本語で最もよく使う助詞は格助詞だろう。格助詞は自立語同士をつなぎ、そこに意味を持たせることができる基本となる助詞である。その正しい分類や使い方をきちんと理解し使いこなすのは日本人でも難しい。それは、日本人同士であればなんとなく意味が通じてしまうからだ。

それぞれの特徴を左ページにまとめてみた。使い方を間違えていたものがないか確認してみよう。

格助詞の使い方

	説　明	例
が	①主体がどのような状態を示すか ②要求するものの対象を示す	①「月が出る」 ②「お茶が飲みたい」
の	主体を強調する	「彼の本」「金の本」
を	動詞の前に置き、動作の対象を示す	「自転車を漕ぐ」 「道を走る」 「校庭を見下ろす」
に	名詞および名詞に準ずる語・動詞の連用形・連体形に付く。対象の動作・対象によって起きる状態を示す	「雷に打たれる」 「壁に当たる」 「ノブにかかっている」
へ	移動の目的地・場所を示す	「駅へ行く」 「理科室へ運ぶ」 「柵の向こうへ投げる」
と	①一緒にいる相手を示す ②複数の主体を示す（並列） ③結果の主体（動作）を示す ④引用から繋げる	①「彼と行く」 ②「太郎と花子と私」 ③「満開となる」 ④「綺麗だ」と言った
から	動作の起点となる主体や、地点を示す	「７時から始まる」 「窓から差し込む」 「石から作る」
より	①比較の対象を示す ②移動の起点を示す	①「彼より優れている」 ②「東京より向かう」
で	①動作の行われる場所を示す ②動作の原因となる主体を示す	①「車で行く」 ②「はさみで切る」

7 代名詞の使い方

代名詞とは

名詞がものごとの名称を示すのに対し、代名詞は直接的に個々を示すものだ。対象物の数や、生物なのか場所なのかなどによって、さまざまな言い方がある。

①人称代名詞…人物を示す

私／あなた／彼女／彼／彼ら　など

②指示代名詞…物・場所・方角などを示す

それ／これ／あそこ／向こう／そっち　など

代名詞のメリットと注意点

普段何気なく使っている代名詞だが、使うことにはもちろんメリットが存在する。

それは、一度具体的な説明をしたあとは、説明を省き簡潔にものごとを伝えることができる点である。逐一長ったらしい説明をしていては会話や文章が締まらなくなり、うっとうしい文章になってしまう。それを「これ」「あれ」などの一言で伝えれば大分スマートな文章になるはずだ。

長い説明でなくても「太郎は」「太郎は」と、毎回同じ主語が入るというのも、かなりうっとうしく感じる。そんな時、「彼」に置き換えるだけでも読みやすさはグッとあがる。

一方で、代名詞、中でも指示代名詞の使用には注意が必要である。

代名詞の種類

①人称代名詞：人物を示す（私・あなた・彼女・彼・彼ら　など）
②指示代名詞：物・場所・方角などを示す
（それ・これ・あそこ・向こう・そっち　など）

メリット

主語を言い換えることで、文章のテンポが良くなり、読みやすくなる

デメリット

代名詞だらけになると、何を指しているのか分からなくなってしまう（特に指示代名詞）

無意識に使ってしまう指示代名詞に注意

「それ」など「そ」から始まる指示代名詞は何度も使うと気になる。多くても見開き１ページに３回までと意識しよう

文章が指示代名詞だらけになってしまうと何を伝えたいのかが分かりづらくなってしまう。特に小説は言葉でシーンを伝えるしかないので、「それ」や「あれ」ばかりでは、何を指しているのか分からなくなる。これは、客観的な視点で自分の文章を読むのが苦手な人が陥りやすいミスなので、文章の見直しをする際は、意図が分からない文章になっていないか、意識して見直しをするのが良いだろう。

「そ」から始まる指示代名詞に気をつけよう

小説を書き慣れていない人に特に多いのが、「そ」から始まる指示代名詞の乱用である。既に小説を書いている人は、自分の文章を見てほしい。「それ」「その」「そんな」など、文章の頭に「そ」が来ていたり、何かを示す際「それ」を多用してはいないだろうか。

執筆中は意外と気付かないものだが、改めて読んでみるとひっかかりのある文章になっていることが多い。

小説で「そ」の付く指示代名詞を使う際は、見開き一ページで、最高三つまでが、多用されている印象も受けないベストな回数だろう。

8 符号を打つ時のポイント

読点を意識する

あなたは文章を書く時、読点を意識的に使っているだろうか。
読点とは、文章中に打つ点のことで、小学校の作文の授業でも習う日本語文章の書き方の基本である。教科書の音読みで読点（、）は一拍、句点（。）は二拍空けると習った人も多いだろう。実際、文章のリズムや息継ぎポイントに合わせてなんとなく打っている、という人が多いのではないだろうか。
何気なく使っている読点も、打ち方によっては文章の意味が変わったり、読みやすさに影響が出たりする。例えば次のような一文がある。

【例】「彼女は寒そうにポケットに手を入れた男性を見つめた」

この文章の中で、「寒そうに」は彼女と男性のどちらにかかっているだろうか。答えは「分からない」。これは修飾語の項でも触れた文章の混乱にも繋がる問題である。では、次のようにしたらどうだろう。

①「彼女は、寒そうにポケットに手を入れた男性を見つめた」

これなら「寒そうにしている男性」を彼女が見ているということが分かる。

②「彼女は寒そうに、ポケットに手を入れた男性を見つめた」

読点と句点

読点

文章の途中に打つ「、」のこと

↓

文章のテンポや見やすさを意識して打つことで、読みやすく伝わりやすくなる

句点

文章の末尾に打つ「。」のこと

↓

文章の終わりを示す役割がある。「！」や「？」を打つ際や、セリフの末尾には打たない。

SNSでは読点や句点を打たない人が多い

↓

SNSに慣れていると、読点の少ない文章になったり、文末の句点を打ち忘れたり、やたら改行の多い文章になったりしてしまうかもしれない。効果的に打つことを意識して文章を書こう

②は、「寒そうに」で切ることで、寒そうにしているのが彼女であることが分かる。

このように、読点はただ文章のリズムや読みやすい区切りを作るだけでなく、文章の意味を正確に伝える役割も持っている。読点を打つ時は、意味の伝わりやすさ、文章の見やすさ、読みやすさなどを意識するのが良いだろう。

句点

文章の末に打つ句点（。）については、特別な説明はいらないだろう。「ここで文章が切れるよ」という意味であり、英語のピリオド（.）と同じである。

本来句点を打った方が文章が締まってしっくりくる。しかし、メールが普及した頃から、私的なメールやブログ、Twitter などのSNS上では、文末に句点を打たず、句点を打つ代わりに改行することで見やすくしている人が多い。だが、句点を打たず改行するクセがついていると、小説を書く際に句点を打ち忘れたり、改行ばかりの文章になったりするので、注意しよう。

9 文末表現に注意しよう

同じ表現・響きに注意！

執筆初心者が最もやりがちな文章の悪例は、同じ語尾の乱立だろう。原稿用紙何十枚、何百枚になるような長い文章に書き慣れていないと、一つ一つの文章を丁寧に書こうと意識しても、意外と文末には意識が向かないものだ。この時起こりやすいのが同じ語尾の連続である。中でも「〜た。」「〜る。」は多い。既に執筆経験があるのなら、自分の文章を見直してみよう。同じ文末が続いてしまっている箇所はないだろうか。自分の文章というのは自分で読んでもリズムのおかしさや読みづらさに気付けないものである。しかし、他人が読めばすぐに気付く。語尾の連続は単純なミスだが、読み手には表現力の稚拙さや語彙力の低さを印象付けてしまう。これを直すには意識するしかないが、慣れれば直すのはさほど大変ではない。語尾が続いてしまったら、どちらかの表現を変えれば良いし、違う言葉を使うことを常に意識して書いていれば、表現力の幅も自然と広がっていくだろう。

発生しやすい語尾の種類

「〜た」「〜る」は語尾のツートップと言っても良いほどよく使われる。「〜た」は過去を振り返る時や主人公の言動を表現する時に、「〜る」は現在進行形のシーンを書こうとした際に出現しやすい。このほかには「〜す」「〜い」「〜だ」「〜く」などがあるが、これだけの種類を知っていれば、二回連続することを避けながら書くのはそう難しくはない。最も好ましいのは書きながら別の表現にすることだが、続いてしまった時は語尾の言い換えから始めてみよう。ただし、時制（現在・過去・未来）を無視するのも良くないので、語尾を変えたことで意味が変わってしまっていないか、文章全体に修正が発生しないか、注意してほしい。

8章
一歩上の小説テクニック

1 会話のコツと生かし方

会話の役割

物語の中に当たり前に出てくる会話には、きちんと役割がある。例えば言葉遣いや人称（私・俺・僕など）、語尾で、その人物がどんなキャラクターなのかを知ることができる。二人以上の会話になれば、キャラクター同士の関係性が見えてくるし、掛け合いの面白い会話はそれだけで作品の魅力だろう。また、作品に関する設定や情報を、キャラクターの言葉を通してさりげなく読者に伝えるという手法もある。会話とは、キャラクターの魅力や作品の設定・世界観を伝えるための大切な要素であることを、念頭に入れておこう。

自然な会話は連想で繋げよう

会話文が苦手だ、という人は少なくない。会話が広がり過ぎてまとまらないという人もいるが、多くの場合はその逆。会話が思い浮かばず続かない、言わせたいセリフに繋げる会話が出てこない、というパターンだろう。

そういう場合は、連想ゲームのつもりで会話を考えてみよう。例えば「放課後遊ぼう」というセリフに対し、「もうすぐ試合だから部活に集中したいんだ」「気になってるあの子を誘ったら来てくれるかな」「図書室へ本の返却に行かないと」など、「放課後」や「遊ぶ」というキーワードからその人物に関連する別の話題へ自然に転換することができる。会話が苦手な人ほど自分の書きたい話題に無理に繋げようと考えてしまうので、不自然な会話になりがちだ。最終的にどんな話に持っていきたいかを決め、ゴールから逆に連想していってみてはどうだろう。

実際の会話に耳を傾ける

人間観察の項でも触れたが、自然でリアルな会話を勉強するなら、やはり外に出て実際の会話に耳を傾けるのが良い。駅のホームや電車の中で会話をしているサラリーマンや、ファストフード店にいる高校生、おしゃれなお店にいる女子大生など、街に出ればいろいろな人の会話を聞くことができる。実際の会話を参考にするメリットは、頭で考えたのでは決して思い浮かばないような突拍子もない面白い会話に出会えるかもしれないからだ。発想の転換も会話の広げ方も十人十色。集まるメンバーが変われば会話の内容も変わる。もちろんそこで聞いた会話はそのまま使うのではなく、少し内容を改変し、名前も変更した方が良いだろう。

多人数の会話

会話は大勢になるほど難しくなる。うまく書き分けができないと、読者はどれが誰の台詞か分からず混乱してしまう。会話でキャラクターを書き分ける方法はいくつかある。

①口調で差別化

最も分かりやすいのは各キャラクターの口調をまったく違うものにすることである。一人はおどおどしており、一人は俺様口調、一人は方言を使うなど、はっきりとした特徴を付けてみよう。口調の特徴はそのままキャラクターの個性にもなる。

②呼び方や主語の表記を変える

友人間の場合、呼び捨てにするのかあだ名なのか、「君」や「さん」などの敬称を付けるかでも、誰がしゃべっているのか分かる場合がある。また、主語が「おれ」という人物が複数いる時、「オレ」「俺」と表記を使い分けることでも、会話に喋り手の視覚的な特徴を付けることができる。

③ こまめに描写を挿入する

初心者がやってしまいがちな失敗は、会話を続け過ぎてしまうこと。誰がしゃべっているのか、どこにいてどんな表情や仕草をしているのか、といった描写が抜けたまま会話が進んでしまい、読者はシーンをイメージすることができなくなってしまう。セリフが二～三個続くごとに一文で良いので状況が分かる描写を挿入しよう。

以上は比較的やりやすい差別化の方法である。マンガなどではフォントを変えるなどの手法もあるが、小説ではあまり見られない上に、ビジュアルがメインのマンガだからこそ有効な手法だろう。誰のセリフか分からない問題は、作者自身は理解できているだけに、自分では気付きにくい場合もある。分かるように書いているつもりでも、キャラクターの特徴を付ける、セリフが二～三個連続したら一度描写を入れる、というのを意識してみよう。

世界観や人物設定に合った言葉遣い

キャラクターのセリフを考える時は、その世界に合った言葉遣いになっているか注意しよう。例えば中世ヨーロッパ風の世界観なのに、「拙者」「ござる」など時代劇風の口調のキャラクターがいたらおかしいし、逆に時代小説なのにカタカナ言葉を使うのは違和感がある。場合によっては世界観そのものを壊しかねないだろう。

また、小さな子供なのにやたら難しい言葉を話すのもキャラクターに合っていないセリフといえる。子供のセリフは、設定年齢の子供が実際に使いそうな言葉を選び、できるだけ漢字はひらいてひらがな多めのセリフにすると、子供らしさが出るだろう。

外国人の片言な日本語を表現する時、漢字以外をカタカナ表記にするという手法もある。適した言葉遣いができると、それだけで作品にリアリティーとらしさが生まれる。どんな言葉遣いをさせれば良いか分からない時は、似たようなキャラクターの登場する作品を読んでみるのもおすすめだ。

会話の役割

①人物の区別

口調や人称の表記を個別に変えることで、台詞だけで人物の区別を付けやすくなる。特に、登場人物の多い作品や、多人数での会話のシーンで有効的

②キャラクター性の提示

話し方や使う言葉の選び方で、人間性やそのキャラクターらしさが表現できる。キャラクター同士の掛け合いで相手との関係性を見せることもできるし、楽しい掛け合いは作品の魅力にもなる

③情報や状況の提示

地の文が説明だらけになってしまう、という時に会話の中で情報の提示をするのも効果的なやり方。

何も知らない主人公へのさり気ない説明は、読者への説明の役割も持っている。また、会話のやり取りの中に現在の状況を分かりやすく盛り込めば、地の文で説明しなくても、自然に読者は「いつ、どこに誰がいて、どんな状況か」ということが理解できる

作風に合った言葉遣いを意識しよう

個性を出すためとはいえ、あまりに作風から的外れな言葉遣いは避けた方が良い。時代設定や国、人種や身分に合った言葉遣いをするべきだ

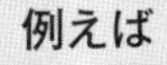

江戸時代が舞台ならカタカナ語は使わない、子どものキャラクターならセリフ中の難しい漢字はひらく、軍人のキャラクターならそれらしい言葉遣いをさせる、など

2 ガイドを入れる（シーンを上手に切り替える）

読者への標識

執筆初心者がやりがちなミスがもう一つある。それは「ガイド」の提示不足である。

あまり一般的な言葉ではないかもしれないが、シーンが切り替わった時や、新しい章の始まりなどに入れる、読者への標識のようなもので、榎本事務所では「ガイド」と呼んでいる。

具体的には、「今、誰がどこにいて、いつなのか」。または「前のシーンからどのくらいの時間が経過しているのか」など、読者が瞬時に状況を理解できるような情報のことをいう。シーンが切り替わる毎にガイドをいちいち入れるとうっとうしくなると思うかもしれないが、そんなことはない。読者にとって、状況が分からないまま読まされることの方がずっとストレスである。状況の分かる情報がない小説は不親切に感じるし、読者は状況を理解しようと頭を働かせるため、普通に読むよりもずっと疲れてしまう。

とはいえ、「●日後」など毎回同じような入りでは確かに面白味はない。それなら、少しだけ本文を始めてからガイドを入れるという方法もある。例えば、次のような書き出しだ。

【例】

事務所のソファに背を預け、組んだ足は目の前のテーブルの上。日下部所長の眉間の皺はいつもよりずっと深い。

「行儀が悪いですよ」

「うるせぇ。文句言う前に情報もってこい」

理不尽な暴言にため息が漏れる。例の依頼人がここ、日下部探偵事務所を訪れてから既に一週間が経っていた。

上手にガイドを入れる

ガイドとは

シーンの切り替わりや、新しい章の始まりに入れる読者への標識のようなもの。いつ、どこで、誰がいて、どのような状況か分かるように提示する

執筆初心者は意識しないと抜けてしまいがち！

時間の経過を示す一例

- ●月●日／●日後／●年後　など、具体的な日時の提示
- セリフの中にさり気なく入れ込む
- 雨が上がった、日が沈んだなど、時間の経過が分かる描写

その間、有力な情報な何一つ見つかっていない。

いかがだろう。人物描写をしながら場所が探偵事務所であること、主人公と所長がいること、前のシーンから一週間が経っていることが提示されている。加えて、調査が進展していない状況に、所長がいら立ち辟易している状況もうかがえる。

このように、必ずしも「●日後」などの情報から入る必要はない。読者に知ってほしい情報をキャラクターのセリフや描写の中にさりげなく散りばめれば、違和感なく読者に状況を提示することができる。ただし、ガイドはできるだけ早い時点で入れたいので、ダラダラと余計なシーンを書くのではなく、シーンが切り替わってから一ページ以内に入れるようにしよう。

描写で時間経過を表現しよう

同じ日で時間経過を表現する場合、「太陽は西に傾き」や「雨が止み」など、情景を入れることで時間経過を表現する方法もおすすめである。「●時間後」と入れるより、ずっと小説らしさがあるだろう。

3 小説はさまざまな描写で構成されている

描写の種類

一言で「描写」と言っても、どんな人物かを伝える人物描写、気持ちの動きを伝える心情描写、見えている景色を伝える情景描写、日常の何気ない描写、戦闘シーンなどの動きのある描写など、さまざまである。描写は描き写すと書くように、物や人の形や状態、心の動きや感じたことなどを読み手が思い浮かぶように、またはリアルに感じられるように描くことである。この「思い浮かぶように」「感じられるように」が大切であり、これがないと描写ではなくただの説明になってしまう。そうならないように気をつけたい。

人物描写

登場したキャラクターがどのような風貌であり、年齢や声質、話し方、性格など、そのキャラクターをイメージできるようにするのが人物描写である。キャラクターの初登場時の描写は、読者にキャラクターをイメージさせ、印象を残すための大切な情報となるが、意外と人物描写ができない人は多い。作者の中ではイメージが固まっているため無意識に端折ってしまったり、逆にイメージが漠然としすぎていて何を描写すれば良いのか分からなくなっているからである。特に年齢に関する描写は忘れてしまいがちな傾向だ。

また、「少年・少女・青年」など対象の幅が広い表現を使う人もいるだろう。少年・少女と聞いた時、いくつくらいの子をイメージするだろうか。定義としては五歳～十四歳くらいまでが少年期とされるが、実際のイメージでは高校生くらいまでは少年・少女という表現を使っても気にならないだろう。つまり、一言で「賢そうな少年」と言っても、それが小学生なのか中学生なのか、高校生なのかは読者には分からない。そうならないためにも、ランドセルを背負っている、学生服を着ている、高校生くらい、●歳くらいなど、ある程度年齢を具体的にイメージできる情報を入れた方が良い。

キャラクターをうまく描写できないという人は、キャラクターの設定表を作ったり、スケッチを描いてみたりするのもおすすめだ。目の形はどんぐり型で、瞳と髪は色素の薄めの茶色など、設定を決めておくことで書いているうちにキャラクターに関する描写がブレてしまうのを防ぐことができるし、あらかじめ決まっていれば描写もしやすくなるだろう。

心情描写

心情描写はキャラクターの心の動きや感情の描写のことであり、小説の中では重要な描写の一つ。間違えやすいが、心情描写と心理描写は違う。心情描写が「楽しい・嬉しい・好き」などの感情を描くのに対し、心理描写は「左手でノブを回したから左利きだろう」「今日は雨だから傘を持っていくべきだろう」など、ものごとを分析し頭で考えたことを描くことを指す。

心情描写はできるだけ丁寧に書いてほしい。心情描写がリアルだと、読者の共感を得られるからだ。読者は主人公や登場人物に自己投影し、感情移入して物語を楽しむ。読者が理解できる感情であるほど、読んで泣いたり、嬉しくなったり、腹が立ったりとキャラクターと一緒に読者の感情も揺さぶられる。

心情描写をする際に注意したいのは、お話のキモになることを、キャラクターの感情の中だけで描いてはいけないという点だ。主人公が悩み抜いてようやく出した決断が物語を終結へと向かわせる。そんな心の動きを、心情描写だけで片付けてはいけない。きちんとストーリーを通して描くべきであり、心情描写は人物の行動によってどのように変化していくのかを描く。キャラクターの感情の動きは必ずストーリーとセットであることを意識して物語を作ろう。

情景描写

景色や状況などをイメージできるように伝えるのが情景描写である。情景描写で注意したいのは、この項目の「描写の種類」でも書いたように、ただの説明文になってしまわないこと。「人物の心が動くような」「読者の心に響くような」描写になるよう心がけてほしい。

小説の中には情報として伝えるべき情景描写以外に、この状況で人物がこういう感情になっているからこそ、今この風景や物を描写すれば最高のシーンになるはず、という場面に相応しい（効果的な）描写が存在する。そこにいかに気付き、描写できるかは作者の技量にかかっている。そして、効果的な描写の仕方を学びたいのなら、文豪や人気作家の小説をたくさん読んでさまざまな描写に触れるのが良いだろう。全く同じ文章では盗作になってしまうが、きちんと自分の文体・言葉にして書けるのなら、効果的な描写方法はどんどん取り入れたい。

連想で描く描写テクニック

情景をどのように描くかは、作者の表現力次第である。初心者ほど遠回しな表現を使ってみたくなるものだが、そういった文章ばかりが続くと、くどいといったようなマイナスイメージを与えてしまう。無理に難しい表現を使うよりも、適度に短く分かりやすい表現で書く方が読み手にとって親切な文章になる。そんな中で、大切なシーンだけ普段とは少し違う言い回しをしてみよう。そうすれば、そのシーンは印象的な場面になる。とはいえ、あまりに直接的な表現ばかりでは稚拙な印象も抱かせてしまう。難しい言葉を使う必要はないので、直接言わなくても誰もがイメージできる表現で、言葉にしていないことを伝えてみるのだ。

【例】　登校すると、人気のない教室に並ぶ机が、静かに輝いていた。

この例文から、朝、誰もいない教室、机が朝日を浴びていることが伝わるだろう。朝とは書いていないが、「誰もいない教室に登校する時間＝朝」と連想できるし、そこに並ぶ机が光っているのならそれは朝日が机に反射した光だろうと状況から発想することができる。このように、別の言葉からものごとを連想させて、状況を伝えるというのも小説ではよく使われる描写テクニックだ。この時、分かりづらい表現を使ってしまうと読者は連想することができないので注意しよう。

動きのある描写

急いで走っているシーン、戦闘シーン、階段を駆け上がるシーンなど、キャラクターが激しく動いているシーンは、見せ場のシーンであることが多い。そんな時、ただ淡々とした描写をしてしまっては、場面の勢いや熱量を伝えることは難しい。動きのあるシーンはそれに相応しい描写テクニックを使ってみよう。

勢いやスピード感（疾走感）を伝えるのなら、短くパンッ、パンッと描写を重ねるのがオーソドックスなテクニックである。「●●が俺に向けて弓矢を構える。先端が光っているのが見えて恐怖を感じた。だから急いでその場を離れた」という書き方ではスマートさに欠ける。もっと短く「●●の矢が俺に向く。鏃が冷たく光った。地を蹴った刹那、●●の矢が地面に突き刺さる」とすれば、数秒の出来事の中にある勢いを落とさず表現できる。

ポイントはとにかく簡潔に、わざわざ書かなくとも伝わる情報はあえて省いてしまうのがコツだ。主語が抜けてしまうと分かりづらくなるが、一人称や誰かに焦点を当てているシーンなど、視点を絞れている場合は主語を省いた方が勢いあるシーンが書ける。こういった書き方は、キャラクターが衝動的に動いている場合や、感情より先に体が動いてしまっているようなシーンだとより効力を発揮する。

短文での描写は動きのあるシーン以外でも有効な手法である。描写不足も問題だが、不要な描写をダラダラ書いてしまうのも初心者にありがちな失敗なので、文量稼ぎの描写は避けよう。

さまざまな描写

なぜ描写が必要なのか

「情報の羅列」はただの説明になってしまう。
説明文を読んでも読者は楽しめない

キャラクターの心情を読み取り、臨場感のある描写があることで、
読者は小説をエンターテインメントとして楽しめる

読者は小説を通して、作中の出来事を疑似体験する

①人物描写

キャラクターのイメージを読者に伝えるための描写。風貌・年齢・声質・話し方・服装などを描く。年齢は「少女」「青年」など大まかな表現より「●歳くらい」「ランドセルを背負っている」「学生服を着ている」など具体的な方が伝わりやすい

②心情描写

キャラクターの心の動きや感情の描写。丁寧に描くことで、読者はキャラクターに感情移入し、喜んだり悲しんだりといった感情を共有できる

③情景描写

景色や状況などをイメージできるように描く。説明文になってしまわないように気をつけよう。キャラクターの気持ちとリンクさせると効果的な描写になる

気持ちが沈んでる時の夕暮れ、問題解決後に雨が上がる情景　など

4 比喩を上手に使う

直接書かないテクニック

比喩はものごとを直接的ではない別の言葉に言い換えて表現するテクニックのこと。描写の項目でも直接的ではない表現の例をあげたが、比喩はそれとも少し違う。比喩には「●●のような～」「●●のごとく～」といった別のものに喩える直喩と、「●●だ」と、まったく違うものに断定的に置き換える隠喩がある。例文を見ながら、使い方を確認していこう。

直喩と隠喩

【直喩の例】　あの課長はとても厳しくて鬼のようだ

この例文で、直喩は「鬼のようだ」の部分になる。「厳しい＝怖い＝鬼」という発想から、怖い上司を鬼に例えた表現だ。鬼という単語のあとに「～のようだ」といった喩えであることが分かるものを直喩という。

【隠喩の例】　あの課長はとても厳しく鬼だ

ここでは「鬼だ」とまったく違うものに断定した言い方をしている。このように、言い切った喩えを隠喩という。

こうしてみると普段の生活の中でも何気なく使っている比喩だが、小説で使うなら効果的に使いたい。直喩は、

比喩に挑戦しよう

直喩	隠喩
「彼は鬼のようだ」のように、例えであることが分かるもの	「彼は鬼だ」と別のものに言い換え断言する表現
メリット	**メリット**
作者のイメージを別の喩えで直接的に読者へ伝えることができる	作者の意図を考えながら読む楽しさもあるし、個性的な隠喩は作家の魅力になる
デメリット	**デメリット**
使いすぎは比喩の効果が薄れてしまう。また、ありきたり過ぎる喩えは面白さに欠ける	あまりに突飛過ぎると「意味不明」な文章になりかねない。効果的に使うことを意識する

作者が読者に伝えたいことを直接イメージさせることができる、という点でメリットになる。一方隠喩は全く違うものに言い換えるという点では少々扱いが難しい。あまりに複雑な表現では、読者が作者の意図を読み取れない可能性もあるからだ。

しかし、この隠喩の意味を読み取るのが面白いと感じる人もいる。村上春樹は、日本でも隠喩を巧みに扱う代表的な作家の一人で、作中に散りばめられた比喩を読み解き自分なりに考察を楽しむファンも多い。隠喩を上手に使うことができれば物語や文章に深みを持たせることができる。最初は難しいが、表現の幅も広がるだろう。

初心者ほど「何かよく分からない表現を使う方が格好良い」と考えてしまいがちだが、意味を読み取れない表現や、効果的でなければ意味はない。読者も変な文章を書く作家として認識してしまう。

まずは、さまざまな作家の作品を読み、どんな比喩表現があるのかを研究してみるのが良いだろう。比喩はある程度のセンスも必要だ。自分の独特な比喩表現を見つけることができれば、面白い表現をする作家として固定ファンを得ることも可能なので、ぜひ挑戦してみよう。

5 伏線を張る

伏線とは

伏線は物語上でのちに起こる出来事について、事前になんらかの形でほのめかしておくことをいう。例えば登場人物の会話やささいな出来事、情景描写の中にさりげなく情報を提示しておくことで、それに関わるシーンになった時、読者は前に出てきた情報との繋がりに気付く。

伏線は単純なようで比較的高度な物語構成のテクニックといえる。読者に先読みされてしまっては、伏線が繋がった時の驚きがなくなり、あまりに分かりづらいと、いざ種明かしをしても伏線が張られていたのだと気付いてもらえないかもしれない。そうなると、読者は唐突に感じてしまい展開を素直に受け入れられない場合もある。

一方で、うまく成功すれば「すごい！」と読者を感動させることができるのも伏線の魅力だ。そこまでに提示されていた謎やさりげない情報の種明かしがされた時、「そういうことだったのか」と読者はワクワクし、もう一度読み直してみようと思ってくれることもあるだろう。

伏線と二段オチ

小説には二段オチというテクニックがある。物語の結末にたどり着いたように見せかけて、実はもう一つ本当のオチを用意しているというものだ。二段オチの場合、二種類の伏線を張ることになる。一つはオチにたどり着いた時、あれはこういうことだったんだと読者が気付くような伏線で、もう一つは言われないと気付けない、さり気ない伏線である。二段オチでの分かりやすい伏線は、いわばミスリードするための見せかけの伏線ということになる。

この二種類の伏線を上手く仕掛けることができれば、あっと驚くクライマックスを書くことができるだろう。

6 叙述トリック

叙述トリックとは

言葉を使って読者を巧みにミスリードすることを叙述トリックという。このミスリードには読者の先入観を利用することが多い。例えば「年寄りと同じ病室なんて嫌だ」と怒っている人がいたとする。この物言いから読者は「台詞の人物は若者なのだろう」と勝手にイメージするが、実はそれを言ってる人物自身もお年寄りだった。またはかわいい物が好き、メイクをしているなどの情報から女性だと思っていたら実は男性だった、などだ。ミステリーやホラーなどでは、真実を追っていたはずの主人公自身が実は犯人だった、などのパターンもある。

これらはすべて、「年寄りだから嫌」だと同じ年配者が言うはずがない、かわいい物やメイクが好きなのは女性だ、主人公が犯人なわけがない、という間違った大前提を先入観で抱かせている。しかし、答えが分かって読み返せば、確かに作者は怒っているのが若者であるとも、メイクをしているのが女性であるとも、主人公が事件の第三者であるとも言っていない。さらに、よく読めば答えが伏線として要所に散りばめられていることもある。

このような叙述トリックが秀逸な作品といえば映画の『シックス・センス』だろう。小児精神科医の主人公が霊の見える少年とカウンセリングのために出会い心を通わせていく作品だが、この作品には重大な秘密が隠されている。しかし、分かってしまえばたくさんのヒントが作中に提示されていることにも気付く。ネタバレ厳禁な作品なので、もし観たことがない人はぜひ一度観てほしい。

叙述トリックを成功させるコツは、何かしらの真実を伏せておき、読者に情報だけで間違ったイメージへ誘導できるかどうかである。描写の仕方や言い回しが重要になってくる難しいテクニックだが、興味があれば挑戦してみてはいかがだろう。

9章
執筆中の向き合い方

1 執筆がはかどる環境を見つけよう

集中&リラックスできる場所

あなたは、自分が一番集中できる環境を知っているだろうか。アイデアをまとめたりプロットを作ったりする時はもちろん、小説を執筆する時など、自分にとって作業しやすい環境が理想的である。

作業しやすい環境というのは、一概にこれが良いというのは難しい。人によってその感覚はまったく違うからだ。例えば、何かの作業をする時、リラックスした状態の方がやりやすいという人もいれば、一度集中すると食事も忘れてしまうような没頭型の人もいる。このリラックスについても、トイレにいる時が一番落ち着くという人もいれば、お風呂に入っている時、お香やアロマキャンドルで癒やされている時、間接照明の点いた薄暗い部屋にいる時、とやはりさまざまだろう。中にはできるだけ静かな環境を好む人もいれば、音楽を聴きながらが良いという人、喫茶店などの雑音の中が集中できるという人もいる。

人が集中できる環境というものに正解はない。自分が一番リラックスできるのならそれがあなたに合った環境ということだ。また、みんなが寝静まった夜が一番作業しやすいという夜型の人もいる。ただし、体が昼型だと徹夜をしたくてもすぐに眠くなってしまうなど、そもそもの体質的に徹夜が向いていない場合もあるので、上手くいかない場合は別のやり方を考えた方が良いだろう。

ベストプレイスを探そう

まだ自分がどんな環境に向いているのか分からない場合は、いろいろ試してみてほしい。できれば自宅や図書館など身近で費用のかからない場所で集中法を見つけるのがおすすめである。喫茶店などの飲食店は混み合う時間も

自分に合った執筆環境を見つけよう

自分に合った環境とは？

リラックスでき、執筆に集中できる環境

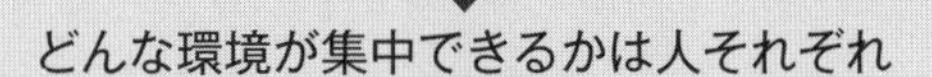

どんな環境が集中できるかは人それぞれ

自分に合った環境が分からなければ

いろいろ試してみよう！

「自宅の自室」「お風呂の中」「音楽を聴いてる時」
「アロマなどでリラックスタイム」「喫茶店やファミレス」　など

執筆中は誘惑も多い。その代表的なものはネット・SNS・ゲームなどだ。
誘惑に負けてしまうなら、一時的にネットに繋げない設定にするのが良い

あり長時間居座るとお店に迷惑がかかってしまう場合もある。そもそも長時間の滞在を禁止している店もあるだろう。何より、一回入るごとにお金がかかってしまうので、長く続けていくことを考えると経済的に負担がかかってしまう。飲食店など外での作業は、煮詰まって作業が進まなくなってしまった時の気分転換として行くのがちょうど良い。

誘惑に負けそうになったら……

余計なお金をかけたくないから、執筆はできるだけ家で……という人も多いだろう。自宅は自分にとって生活空間であるだけにリラックスできる人も多いだろうが、同時にあなたを執筆活動から遠ざけてしまう誘惑もたくさんある。

例えばやりかけのゲームやＳＮＳ、インターネットといったものだ。つい気になって別のことをしてしまうという人は、一定時間スマートフォンを開けないｏｒ電源をオフにする、スマートフォンを使って執筆をしている人は執筆中はネットへの接続を切っておく、など単純だが効果的な方法を試してみよう。

2 書き出したら振り返らない

自分の執筆スタイルを知ろう

あなたはこれまでどれだけの作品に挑戦し、何作を書き上げることができただろうか。中にはこれから初めて執筆に挑戦するという人もいるだろ。

実際に小説を書いてみると、自分がどんな執筆スタイルのタイプなのかが見えてくる。短期集中型の人は短期間で勢いよく書き上げてしまう。こういう人は執筆経験をたくさん積めるので、上達が早かったり新人賞に投稿したりとデビューのチャンスが増えるだろう。また、筆が乗ってしまって当初の路線から外れてしまう人もいる。この手のタイプは軌道修正してなんとか最後まで書き上げることができる人もいるし、後戻りが不可能になってしまい途中で書くのをやめてしまう人もいる。そうすると執筆途中の作品ばかり増えていく、ということになる。他には、既に書いたところが気になり、ついつい戻って修正を繰り返してしまうというループ型の人だ。ループ型の特徴は、同じところでずっと留まってしまうためなかなか先に話を進められない。

他にもスタイルはさまざまだが、このような自分の執筆スタイルを知るには何はなくとも書いてみないと分からない。勉強や仕事がスケジュール通りに進まないことがあるように、自分の理想やイメージをその通りにこなすのは案外難しいものである。短編や中編でも良いので、何作か書くことで自分の執筆スタイルが見えてくるし、自分のタイプが分かればどのように対策をすれば良いかも自覚ができるだろう。

走り出したら前だけを見て完走を目指す

執筆自体は何作か挑戦しているものの、どれも最後まで書き上げることができなかった。そんな経験のある人に多いのは、ループ型の人だ。ループしてしまう理由は「完璧主義」が挙げられる。最初から完璧を求めてしまうため、気になることがあると納得するまで修正を重ねる。これが先に進めなくなってしまう原因である。

小説は最初から完璧に書き上げる必要はないし、最初から修正のいらないレベルで書き上げられる人もそう多くはない。初稿は叩き台くらいの気持ちでとにかく書き上げることを最優先に考えて進めていこう。書いている最中に何度修正しても、実際その修正が本当に必要な修正だったのかは書き上げてみないと分からない。書き上げたあとの修正で結局手を加えなければいけなくなることもあるし、場合によってはシーンごとまるっとカットすることもある。そうなると、執筆中の修正が無駄になってしまう。書き上がった初稿を見て、どんな方向性で直すかを決め、追加するシーンやいらないシーンを決めて修正していく。この時点で大きな修正が入ることも珍しくはないので、最初からがっちり作り上げていく必要はない。

ではどうしたらループしないのか。方法は単純明快だ。前に書いたところが気になってしまい書き直したくなる気持ちをぐっとこらえて修正は後回しにしよう。先に書いていたシーンで加えたい修正が出てきたなら、そこはメモを残しておけば良い。原稿に直接メモを残しても良いし、ノートやメモ帳に書き留めておいても良い。ワードならコメント機能を使用することや、原稿に直接メモを打ち込んでおくのもアリだ。「★」などの決めた記号と一緒に書き添えておき、修正のタイミングで「★」を検索して一つずつ修正していくと効率化できる。

初稿は最初のゴールでありスタート地点

小説を書き上げるというのはとても大変なことだ。手書きでもパソコンでもスマーフォンでも、どんな端末を使ってもその苦労は変わらない。しかし、初稿が完成してもそれはまだ小ゴールでしかない。初稿完成後、さらに推敲を重ね、二稿・三稿と書き直しを繰り返して本当の完成まで持っていかなければならないからだ。

初稿が書き上がって初めて、本当の意味で自分の作品と向き合うことができるのである。

3 毎日の修正

毎日少しずつの修正はOK

書き出したら振り返るべきではないが、まったく見返すなということではない。むしろ続きを書き出す前に昨日書いたところや、書き出すシーンの二〜三ページ前から読み直すことをおすすめしたい。自分が書いた文章だとしても、意外とシーンの細かい部分を忘れてしまっていることもあるし、自分の文章を読み返すことで文章のリズムを思い出してから書き出すことができる。また、時間をおいて読み返すことで、そのシーンを冷静に見られるため、客観的な視点でおかしなことに気付ける場合もある。読みながら次の展開をイメージできれば、続きを書き出しやすくもなるだろう。

また、このプチ見直しの際に誤字脱字があれば修正していこう。修正の中で誤字脱字は一番多い修正になるので、一度にやろうとするとどうしても見落としてしまいがちである。執筆中に少しずつでも潰しておけば、書き上げたあとの修正が少なくなる。

毎日の執筆枚数は原稿が進むほど少なくなる

過去の執筆経験から「自分が一日で書ける文量は原稿用紙十枚分だ」と分かっていても、一日十枚を目標で書き進めていくというスケジュールの作り方は間違いである。これは多くの人が勘違いしがちだが、長編原稿を書き進めていくと、同じ時間を費やしても一月に執筆できる枚数は徐々に少なくなっていく場合がある。

しかし、集中して取り組んでいるのならそこで焦る必要はない。原稿が進むと毎日のプチ見直しをするシーンが長くなることがあるので、見直しまで含めると毎日執筆できる枚数は少なくなってしまうものである。

毎日修正のすすめ

書き出したら振り返らない

毎日少しずつの修正なら OK ！

執筆中の修正にこだわりすぎてしまうと、一向に進まず完成できない。
毎日少しずつの誤字脱字の修正程度なら OK

途中で大きく修正したい箇所ができたら

修正箇所のメモを残しておく

- 表記の統一リストを作る
- 修正したい箇所のメモを作る
- 原稿中に「★」などすぐ検索できる記号と一緒に直接メモを書き残す　など

また、執筆途中のシーンから書き出す時、すぐに書いていた時のテンションと同じ状態にもっていくのは難しい。エンジンを暖める時間が必要だ。このように、状況とともに執筆時間や書ける量も変化するので、自分の執筆スケジュールを立てる時は、少し余裕を持って立てておこう。

表記の統一リストを作っておこう

毎日の見直しのメリットとして、表記のブレに気付くことができる。同じ言葉であっても、漢字とひらがなが混在していたり、外来語が微妙に違っていたり（アイデアとアイディアなど）といった具合にだ。

こういった表記のブレは気付いた時にメモを残しておこう。同時にどう統一するかを決めておくと、そのあとの執筆では意識して統一していくことができる。

ワープロソフトには文字の検索と置換ができる機能がついており、初稿が完成したあと、メモを見ながら修正すれば、作業が少し楽になる。表記のブレだけに限らず、執筆中気付いた修正点や修正を検討すべきことは、できるだけメモを残しておくようにしよう。

4 途中で詰まってしまったら

手を止めて休息を

途中で執筆に詰まってしまうのは、精神的にとても辛いことだ。物語の先をイメージできず焦りも生まれるし、途端に書くことがつまらなく感じてしまう人もいるかもしれない。最後まで書き上げられないタイプの人の場合、途中で詰まってしまったことをきっかけに、書くのをやめてしまう人もいるだろう。

もしも書けなくなってしまったなら、焦らず一旦手を止めて数日休んでみるのも良い。もしかしたらその間に何か良いアイデアが思い浮かぶかもしれないし、時間を置くことで客観的に展開を確認し、書くべきことが見えてくるかもしれない。数日休んでいる間に、どうして自分が詰まってしまったのか考えてみるのも良いだろう。

書けなくなる理由は人によってさまざまである。展開は決まっているのに文章が思い浮かばず進まない、次の展開や台詞が決まらない、作ったプロットと内容が変わってきてしまった、など。もし書いているうちにプロットと違う展開になってしまったなら、一度プロットを見直してみよう。大きなズレでないのなら、書き直さなくても軌道修正できるかもしれない。軌道修正できないほど内容が変わってしまったとしても、そのお話で続けられないかプロットを再考してみれば良い。プロットは必ずその通りの内容にならないといけないわけではない。きちんとお話が成り立っており、一貫性を保てているのならプロット自体を変更することも構わない。むしろ柔軟に臨機応変な対応が必要といえる。

思い切ってリフレッシュする

煮詰まってしまっているのなら気分転換も兼ねて出かけてみてはどうだろう。その時書いていることに関連する

執筆に詰まった時の対処法

執筆中、書きたいことが上手くまとまらなかったり、
次の展開が浮かばず、手が止まってしまうのは誰にでもあること

そんな時は

①書くのを止めて休んでみよう

休んでいる間にアイデアが浮かぶかもしれないし、休むことで冷静になり、客観的な目で作品を読める

②思い切ってリフレッシュしよう

気分転換を兼ねて外へ出てみよう。趣味に時間を使ったり、作品と関係のあるところに行ってみるのがおすすめだ

③意見を求めてみる

1人で悩むより、人の意見を聞いてみる方が思いがけないアイデアに辿りつくかもしれない

ような場所に行ってみたり、趣味に時間を使ってみるのはどうか。きっとそこで楽しかったり驚いたりさまざまな感情を抱くはずである。その時に何かお話のインスピレーションを受けるかもしれない。実は執筆中というのは脳が緊張や興奮している状態で、自分で感じている以上に疲弊している。

少し創作から離れることで、興奮状態を解き思考も柔らかくなるだろう。

人に意見を求めよう

書いてる最中の中途半端な原稿を人に見られるのが嫌だと思う人は当然いるだろう。しかし、一人で考えていても、先に進むためのアイデアが出てこない時は出てこない。ならば、一人の知恵より、二人、三人の知恵を寄せ合って考えた方が、良いアイデアが浮かぶ可能性は高くなる。

意見といっても本格的なアドバイスでなくても良い。何に詰まっているのかを伝えて、感想を教えてもらおう。相手も悩んでいることを教えてもらっておけば、気付いた点をアドバイスしやすくなるだろう。

5 時間を作る

まとまった時間で書くメリット

小説を書く時はできるだけまとまった時間を作る方が良い。理由は複数あるが、一つには、いざ原稿を前にしてもまずは読み返しから入るべきだからである。本章の164ページでも触れたように、最後に中断したタイミングの少し前から読み直した方が、内容や文章のリズムを思い出すことができる。また、原稿を目の前にしたからといって、その瞬間から続きの文章がぱっと浮かんでどんどん書き進められる人はあまりいない。既に書いてあるところの次の展開を考え、文字に起こしていく。その作業に数分や数十分を費やす人もいるだろう。一度書き出せば自然と文章が出てくる人もいるし、ある程度集中力が高まるまでなかなか次の文章が思い浮かばない人もいる。小説を書くには、頭のウォーミングアップの時間が必要なのだ。

小説はいつでも書ける

じっくり丁寧に書き進めていくのならやはりまとまった時間をとった方が良い。しかし、書こうと思えばいつでも書くことができるのが小説だ。書くための方法はいろいろとある。ペンとノートで書き残すこともできるし、スマートフォンなどを使い文章や音声で残すこともできる。このあたりはメモの残し方で触れた方法と同じである。書くための方法は多彩にあり、書く場所も、通学電車の中やバスを待っている時、病院などの待合室、半身浴中の浴室など、ちょっとした空き時間があればどこでも可能である。ただし、隙間時間に書いた文章は短時間で書かなければという焦りから変な日本語になっていたり、普段とは違う執筆ツールで書くため誤字脱字が多くなったりするので、後ほどまとめて読み直しと修正をしておこう。

執筆時間の作り方

書こうと思えばどこでも書けるのが小説

おすすめなのはまとまった時間を作って書くこと

なぜなら…

- いざ書こうとしてすぐ続きを書き始められる人はなかなかいない
- 書き出す前に、前回書いた所を見直し、話の流れや自身のテンションをそこまで持っていく必要がある
- 集中するのにも時間がかかる

作ろうとしなければ時間は作れない!

時間は作ろうとしなければできない

「忙しくて時間がとれない」というのが口癖の人がいる。しかし、本当にそうだろうか。自分で時間がとれないと決めつけて生活はしていないだろうか。

よく聞くのは、「時間ができたら会おうね」と話をしている友人とは数年に一度しか会わないのに、「この日に集まるんだけど来られる?」と日にちを指定して誘ってくれる友人とは、なんだかんだ年に一度以上は会っている、というもの。一見日にちを指定される方が選択肢が少ないので時間を作るのが難しそうに感じるが、実際はその日のためにスケジュールを調整して会うことができてしまう。つまり、優先度の低い予定を調整したり、生活習慣を変える努力をすれば、時間を作ることができる。

執筆を毎日やらなくては、と考えるから時間を作るのが難しいような気がしてしまう。しかし、週に一度、バイトや部活がない日を執筆の日にする、と決める。毎日でないにしろ、まったく執筆をしない人に比べれば一日一ページでも二ページでも進めることができる。

学生生活を大切に過ごそう

これを読んでいるあなたが学生なら、ぜひ今を大事に過ごしてほしい。中学生でも高校生でも大学生でもだ。学校生活というのを、長い人生の中で大人になるためのただの通過点としか考えていない人もいるかもしれないが、たった数年の限られた時間だということを覚えておいてほしい。社会人になれば定年まで仕事が続く。途中で転勤になったり、キャリアアップをしたりと、社会人生活は数十年ある。それに比べて、学生生活は大人になる頃にはほとんどの人が終えている。期間も小学生は六年間、中学生・高校生は三年間ずつ、専門学校や短大に行けばさらに二年で、大学生なら四年間。高校に行かず就職すればたった九年間で、大学まで行っても十六年間である。その間に体も心も成長し、興味があるものや考え方は大きく変わっていく。その瑞々しい感覚を知ることができるのは学生の間だけだ。学校の友人とどんな話をした、みんながどんなものに興味を持っていた、どんな先生がいた、どんな部活があった、帰り道ではどんな寄り道をした——そういったリアルな経験をぜひ覚えておいてほしい。

あなたがライトノベルを書こうと思っているなら、対象読者は中高生かもしれない。読者層は変わらなくても、あなた自身はどんどん大人になっていく。考え方やものの感じ方は自然と変化していく。そうなった時、自分が学生だった時のことを思い出せるようにしておこう。

また、人生の中で自由な時間があるのも学生の時だけである。部活に打ち込んだり、遊びに行ったり、旅行をしたり。この時間を大事に過ごしてほしい。本や映画を見ることに使っても良いし、アルバイトなどの経験も執筆に役立つ。可能なら恋愛経験もできると良い。それが片想いだって構わない。誰かに恋をするという感覚を知ることが、リアルな描写に繋がる。恋愛に限らずリアルな感覚はあなたの作品にフレッシュさを与えてくれる。読者が「分かる」「あるある」という共感を抱いてくれることで、親しみを持ってあなたの作品を読んでくれるだろう。

10章
書き上げることができたら

1 少し休もう

脳と体と心に休息を

小説を書き上げた時はどんな気持ちだろう。やり遂げた達成感、やっと終わったという安堵感、苦しかった執筆活動からの開放感。どういった気持ちにしろ、最後まで書き上げたことは素晴らしい。ここまできたら、本当のゴールはもう見えている。

小説を書くという行為は、他人から見れば座って文章を書いているだけの簡単な行為に見えるかもしれない。しかし、実はいろいろな部分に負担のかかる大変なことである。一文字、一単語にまで気を使って集中しながら書くため当然頭が疲れる。睡眠時間を削って書けば体力は消耗するし、ずっとキーボードを打ち続けることで腕が腱鞘炎になってしまうこともある。眼精疲労で目が疲れたり肩や腰が痛くなったりといった身体的な症状も出るだろう。さらに、新人賞の締め切りまで時間がないことへの焦りや、書き進められないことに対する自己嫌悪など、精神的にもいら立ったり落ち込むことがある。これだけの負担が常にかかっている状態なのだから、小説執筆は決して簡単な作業ではない。

書き上げたあなたが次にすることはなんだろう。多くの人は「さっそく見直しをして修正をしなくては」と思うかもしれないが、それは違う。あなたがまずすべきことは、休むことだ。

書き上げた直後は興奮や疲労によって、自分の作品を客観的かつ冷静に読むのは難しい。そのため、二、三日自分の原稿からは離れて、脳を休め興奮を冷ましてあげよう。そうして改めて自分の作品に向き合うことで、書いている時には気付かなかった矛盾やおかしな点に気付くことができる。この休息はサボりではない。より良い作品に仕上げるために必要な休息なのだ。

書き上げたら休息を取ろう

執筆で疲弊し、興奮状態の脳と体に休息を

- 1文字・1単語にまで気を使って常に集中
- 睡眠時間を削ることもある
- タイピングのし過ぎで腱鞘炎になる
- 首や肩こり、腰痛になりがち
- 予定通り進まず精神的にストレス

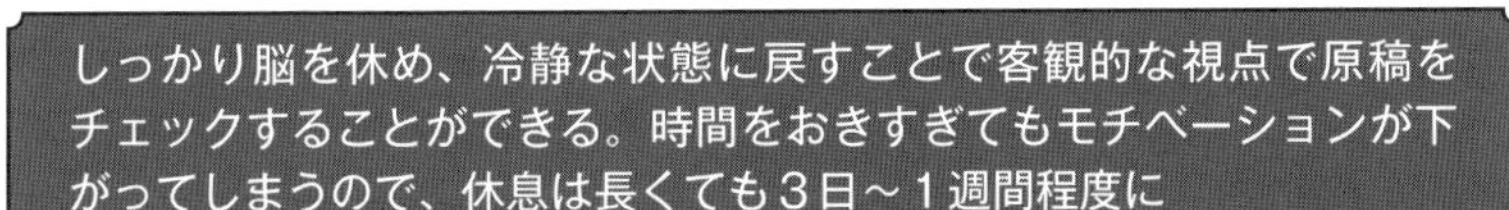

しっかり脳を休め、冷静な状態に戻すことで客観的な視点で原稿をチェックすることができる。時間をおきすぎてもモチベーションが下がってしまうので、休息は長くても3日～1週間程度に

休息中にすること

書き上がったあとの休息中は何をすれば良いだろうか。まずは、小説を書くという行為全般から一度離れて、まったく別のことをするのが良いだろう。ただ、これは必ずしも正しいというわけではない。次なる新たな作品のアイデアが出てきて、早く考えたいという人もいるだろう。それがあなたにとってストレス発散になるのなら、取り組んでもらって問題ない。

一方で、「しばらくは執筆のことを考えたくない」という人もいるだろう。そんな人は、執筆のために我慢していたことや行けなかった場所を訪れるなどして、気分をリフレッシュしよう。思いっきりゲームするのも良いし、存分に昼寝をするのも良い。あなたにとって一番ストレスにならない状態で過ごそう。

そうして、ある程度リフレッシュできたら原稿に戻ってほしい。あんまり休みが長くなると、作品への熱まで一緒に冷めてしまい、推敲が面倒くさくなってしまうこともあるので、休息は数日～一週間程度にするのが好ましいだろう。

2 推敲&ブラッシュアップ

推敲をしよう

十分な休息を取ったあとは、推敲をしていこう。推敲というのは、誤字脱字といったニアミスや、作品や設定の矛盾点がないか見直しをすることである。ストーリーや設定のおかしなところがあればこの段階で改めて練り直し、原稿に修正を加えていく。「さらに良くする」「磨きをかける」などと言った意味で、ブラッシュアップなどと言われる。

具体的な推敲方法　～プリントアウト&音読のすすめ～

見直しの方法はさまざまだが、できればやってほしいことが二つある。

一つはプリントアウトすることだ。不思議なものだが、モニターで見ている時に見落としてしまった誤字脱字も、紙に印刷されたものだと目に留まりやすくなる。これは誤字脱字だけではない。日本語としてのおかしさや、設定の矛盾点など、モニターを通して普通に読めていた文章も、印刷された物を見ながら読むと「おや」と引っかかりを覚える。いつもモニター上だけで確認をしていたという人も、試してみてほしい。

もう一つおすすめなのは、声に出しながら読むこと。「自分の文章を音読するなんて恥ずかしい」と思う人もいるだろう。それなら、自分の部屋で小さな声でも構わない。「声に出して読む」ことが大切である。

頭の中で読むと、「こう書いてあるはずだ」と過去の経験から勝手に脳が予測して認識するため、誤字があっても意外と読めてしまう。口に出しながら読むことで、おかしなところではつっかえてしまったり、スラスラ読むことができないので、文章のミスや読みづらい文章に気付きやすくなる。

おすすめの推敲方法

推敲とは

書き上がった文章を見直して、誤字・脱字の修正、おかしな文章の修正、作中の設定の矛盾などを直し、より良く修正すること

具体的な推敲法

①プリントアウトする

モニターを通すと、文章におかしな点があっても見落としてしまいがち

紙に印刷することで、誤字・脱字などのミスや、日本語のおかしさ、読みにくい文章、設定の矛盾といった点に気付きやすくなる

自宅にプリンターがなければ、コンビニのコピー機でも可能

スマートフォンで書いている場合、印刷前に縦書きアプリで縦書き変換し PDF などに保存するのをおすすめする。
縦書き印刷でチェックした方がおかしな点を見つけやすい

②声に出しながら読む

目だけで追っていても、脳が無意識に文章を補完してしまうため多少の誤字は読めてしまう

声に出すことでより単語を意識して読むため、おかしなところにくると声がつっかえたりして気付きやすくなる

声に出すのが恥ずかしければ

小声で読んでも OK ！

3 何回修正をするのか

気が済むまでは終わらない

書き上げてから何回修正をするのがベストか。これについては、誤字・脱字やおかしなところが見つからなくなるまで、というのが一つの目安になる。一度書き上げてしまえば修正する方向性は決まってくるので、大きな修正に一回、誤字脱字、おかしな文章の見直しでもう一回くらいが必要な修正で、慎重になるならさらにもう一回見直しをしても良いだろう。以降は作者が納得するまで修正すれば良い。ただし、修正というのはどこかで見切りを付けないときりがないことも覚えておいてほしい。

言い回しやシーン運び、描写の過不足、文章が読みやすいか。このような修正は気になり出すと終わりがなく、何回でも修正を繰り返してしまいがちである。なぜなら、誤字脱字とは違い修正に善し悪しはあれど正解はないため、「この方が良いかな。いや、やっぱりこっちの方が」と考え出すと抜け出せなくなってしまうからだ。

第三者の目を入れよう

ここに時間をかけるのなら、書き上げて一回見直し&修正↓もう一回修正残しがないかの見直しをして、ある程度作品が整ったところで自分以外の人に読んでもらうのが良いだろう。執筆中というのは同じ文章を何度も読み返すうちに、自分の文章の善し悪しもわからなくなってしまうことがある。だからこそ、他人の目を通すことで、自分では気付くことができなかった修正点が見つかったり、逆におかしいのではないかと心配していた文章が大丈夫だと確認できたりする。

あなたがプロになっていれば編集者が読んでくれるだろう。そうでないなら、家族や友人で良いので、第三者の

修正にはキリがない

修正は何回必要？

「納得するまで」と言いたいが、それでは明確な終わりがなく、気にし出すとキリがない。ひとつの目安は、誤字脱字が見つからなくなるまで

初稿完成 →

1回目修正
誤字脱字、おかしな文章を含め、ストーリー構成など全体の修正

2回目修正
修正したことで矛盾などが発生していないか全体を再度チェック

3回目修正
問題が見つかれば再チェック。誤字脱字がないか最終チェック

3回目以降は誤字脱字の確認程度に済ませ、それ以上の修正はどこかで見切りを付ける。しかし、見切りと妥協は違うので、ストーリー構成上問題があるなら直した方が良い

感想をもらうべきである。作者というのは、読者には見えていない設定を知っている状態で書いているので、本人も気付かないうちに説明不足になっていたり、逆に突然新しい設定を登場させて、読者を置いてけぼりにしてしまうことがある。そうならないためにも、第三者の目を入れるのは大切だ。

見切りを付けるのと妥協は違う

修正箇所は悩み出すとキリがないと言ったばかりだが、妥協して修正を放棄してしまうのはまた別の話である。新人賞の締め切りまで時間がなく、「この修正をしていたら間に合わない」という場合は仕方ないこともあるが、基本的には締め切りまでに余裕を持って取り組むべきであり、妥協はただただもったいない。

避けるべきは、時間的な問題ではなく、「書くのも直すのも疲れたしこのくらいはまぁいいや」と、投げ出してしまうこと。せっかく時間をかけて書き上げたものなのだから、最低限必要な修正は妥協せずきちんとしたい。プロとしてやっていきたいのなら、自分の作品のクオリティー管理もプロとしての仕事だと覚えておこう。

4 グラフ推敲法を試してみよう

小説を見える化で分析しよう

ここではグラフ推敲法という方法を紹介したい。これは自分の作品を、目に見える形で分析しながら見直しをすることができる方法だ。新人賞に投稿するための原稿のほとんどは長編である。慣れていないと長い作品を全体的に把握し俯瞰的に見ることを、難しいと感じる人もいるだろう。しかし、作品を俯瞰的に見られなければ、主要キャラクターなのにほとんど出てきていない（＝上手く事件と関わらせることができていない）、盛り上がるようなイベントがほとんどない、という事態が起こりかねない。これを防ぐために、グラフ推敲法を試してほしい。

グラフ推敲法というのは、いわゆる複合グラフを用いて作品を分析するやり方だ。小学生の頃に授業で習った折れ線グラフの枠をイメージしてみよう。グラフ推敲法では縦軸＝盛り上がり、横軸＝ページ数とする。ページ数は五十枚単位にしてみよう。まずは盛り上がりのグラフである。日常パートでは緩やかに、事件が起きるなど盛り上がるシーンではグラフを山形に上昇させ、逆に主人公が落ち込んだり挫折したりするシーンでは谷型に下げる。こうすることで、作品全体のどのあたりで盛り上がりがあるのか、事件の起こらないシーンばかりが続いてしまっていないかなどの、ストーリー構成のバランスを視覚的に確認できる。

次に、キャラクターの登場頻度を表してみよう。全部の登場人物である必要はない。作品に関わる重要なメインキャラクターだけで十分だろう。登場しているところに横向きの棒を書いてみる。これで、全体のどのあたりで、どのくらいの頻度で各キャラクターが登場しているかが分かる。

このグラフ推敲法はプロ作家の人気作品を分析するのにも有効な方法である。人気作品がどのような構成になっているのか研究するのも面白いだろう。

作品分析におすすめ　グラフ推敲法

グラフ推敲法

グラフという見える形にして、作品分析ができる推敲法。
ストーリーの盛り上がり、キャラクターの登場頻度などの
バランスを確認できる

グラフを使った推敲例

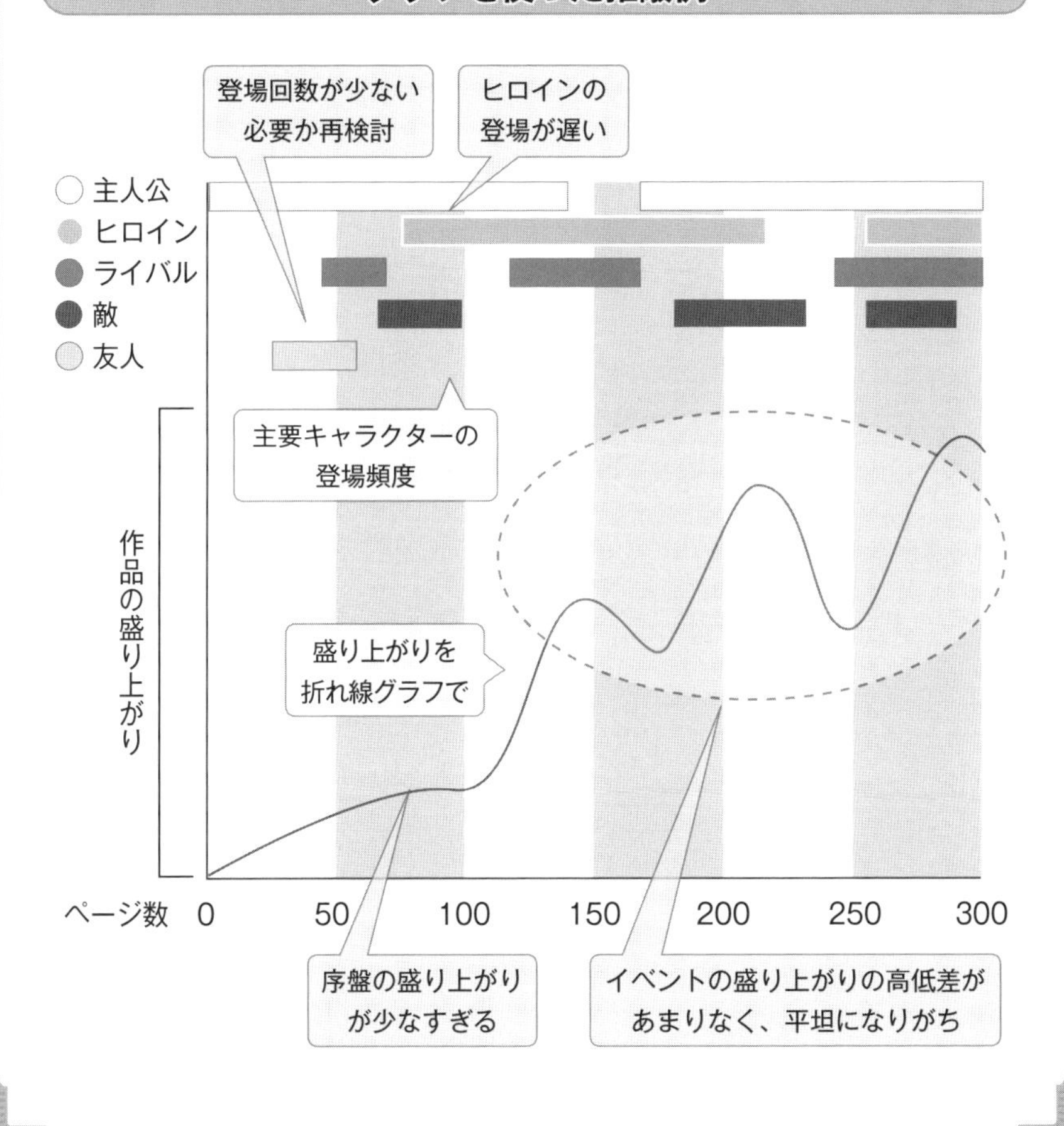

5 感想を聞く時の姿勢

意見をもらえることに感謝しよう

小説家にとってどんな感想であれ、読者からもらう意見は自分の作品をより良く、面白くするための貴重な材料である。まだ世に発表されていないあなたの作品を読んで感想をくれるような家族や友人、同じ小説家志望の仲間がいるのなら、素直な気持ちで意見を受け止めよう。意見の中にはあなたにとって聞きたくないものや納得のいかないこともあるだろう。しかし、読者の中にマイナスな感想を抱いた人が一人でもいるという事実と向き合うべきだ。特に、親しい関係でマイナスな意見もきちんと教えてくれる人は貴重な存在と思う。

マイナスな意見を告げられた時はこう考えよう。「指摘してくれたことで自分の苦手、良くない点が分かった」「苦手を克服し、今後の作品で改善し生かすチャンスになった」と。自分の悪いクセは人に指摘されないと分からないものだ。今、それを克服することができれば新人賞で審査を通過する可能性も上がるだろう。

こだわりは大切に

マイナスな指摘をされた意見の中には、あなたなりにきちんと理由があって書いたことや作った設定があるだろう。そういったものをすべて捨ててしまう必要はない。五章でも述べたように、それがあなたの独特の感性なら作家のカラーになる。

とはいえ、こだわりを持つことと頑固なことは違う。あなたなりのこだわりがあるのなら、それを指摘してくれた人に伝えてみよう。そこで納得させることができれば、無理に変える必要はない。だが、もし読んでくれた人全員から同じ指摘をされるようなことがあれば、残してもマイナスにしかならない可能性がある。そんな時は、素直

読者の感想は宝

ネガティブな意見も、作品をより良く
面白くするための貴重な材料

指摘されたことで、自分の苦手な点、悪癖に気付くことができ、
改善するチャンスとなった、と捉えよう

絶対に修正しないとダメ？

こだわりの部分があるなら、全ての意見を受け入れる必要はない。
自分の中できちんとこだわる理由を説明できるならOK

問題点があるなら、その設定をなくすのではなく、解決策を考えよう

に設定を変えるか、こだわりを残しつつみんなに納得してもらえる改善策がないか再考してみるのが良いだろう。

問題点は改善策を考える

小説家志望者のプロットや原稿に指摘をした際よくあるのが、指摘への対策がご都合主義的な展開に変更されている、または該当箇所を外してしまう、というものだ。

正直この対処法はあまりおすすめできない。作者にとっては簡単で時間もかからない対処法かもしれないが、本当にその設定を外してしまって大丈夫なのか冷静に考えてほしい。場合によっては、その独特な設定が魅力の一つだったのに、無くしてしまったことにより、作品のスパイスが薄くなってしまうということもある。

また、ご都合主義的な変更は主人公たちが乗り越えなければいけない壁の難易度が下がってしまうケースもある。そうなれば、話の盛り上がりを作るのも難しくなってしまう。だから、問題点の指摘へはできるだけ設定を残したまま対処できる方法がないかよくよく考えてみてほしい。ここを乗り越えることで、あなたの作家としての力も上がっていくはずだ。

6 盗作は絶対にダメ

読者は見ている

不特定多数の人に向けて作品を発表する際、気を付けなければいけないのはパクリ疑惑をかけられることである。小説家志望のあなたには、こんな作品を書きたいという憧れの作品や作家がいるのではないだろうか。誰かの影響を受けることは悪いことではない。むしろアマチュアの内はプロ作家の技術をどんどん参考にし取り入れるべきだ。

しかし、「この台詞や文章が好き」と、名前や単語だけを変えて全く同じ文章を自分の作品に使うのは問題がある。それは盗作になってしまう。単語を変えても、ファンはたくさんいるので、必ず誰かが気付くと思っていた方が良い。たった一文だとしても、盗作が発覚すればもうその作品を世に出すのは難しい。指摘された時、あなたが既にプロになっていれば、出版社などの関係者に迷惑がかかるだけでなく、作品の販売が中止になり読者が悲しむことになる。そうならないためにも、盗作や疑惑をかけられるような行為は絶対にやめよう。もし引用として使いたい場合は、引用元を明記することが必須だと覚えておこう。

「パロディー」「オマージュ」とは

一見パクリと似ているものに「パロディー」や「オマージュ」という言葉がある。

「パロディー」の大きな特徴としては、「誰が見ても何をモデルにしているか分かる」構成になっていることだろう。パロディーの場合「元になっているのはあの作品のあのシーンだ！」と分かることで笑いが生まれる。「パロディー」という言葉自体には、元作品へのからかいや批判の意味合いがあり、風刺作品などに用いられることがある。海外の新聞などには、政治家を揶揄するようなパロディーイラストが掲載され賛否を呼ぶことが度々あるが、これは批判を笑いに昇華しているパロディー作品と言える。

一方で、「パロディー」と聞くと楽しいものを連想する人も多いだろう。実際に映画などではコメディー要素を強く押し出した作品が主で、パロディー作品を見た時、不快感よりも面白いという感想を抱くよう作られている。洋画には全編パロディーの詰め合わせという作品も存在するほど、上手にやれば人を楽しませられる手法だ。

次に紹介する「オマージュ」は、聞き慣れない人もいるかもしれない。「オマージュ」は「パロディー」と似ているようで少し違う。「パロディー」のようなコメディー要素は低く、むしろコミカル性が皆無なことも多い。「オマージュ」という言葉はフランス語で「敬意・賞賛」という意味があり、作品のモチーフを生かして、別の作品を作るのが特徴だ。「パロディー」とは違い、必ずしも誰もが分かるネタとは限らない。一部の人だけが「このシーンはあの作品の影響を受けているんだな」と分かるような作りになっている。つまり、パロディーは元ネタが前面に押し出してきているのに対し、オマージュはあくまでさり気なく作中に潜ませているイメージといえる。

「悪意」がなくてもグレー

「コメディー」「オマージュ」作品のどちらにも言えるのは、作者への敬意が込められていることが多く、必ずしも悪意があるとは限らない。むしろ、パロディーやオマージュ作品を作った作者自身が、元作品の作家の大ファンであったり、芸術性を込めてリスペクトしている場合も大いにある。とはいえ、現状「パロディー」「オマージュ」はグレーゾーンと言わざるを得ない。なぜなら、原作者が「盗作だ！」と判断すれば、それは黒になるからだ。世の中には盗作疑惑の検証が好きな人もおり、疑惑のあるシーンを詳細に分析してネットに公開されてしまうこともある。たまにギャグとして中途半端にパロディーを入れている作品を見かけるが、知識が不十分では読者に面白さは伝わりづらい。本気でやりたいのなら自分が良く知る作品でやるべきだろう。元作品の良さを理解し、元作品を見てみたいと思わせるくらいの気持ちで扱うのが好ましい。

盗作を指摘されてしまったら

盗作ではないのかと指摘されるものの中には、キャラクターが似ている、話の流れが似ている、というようなものがある。このような指摘については、さほど神経質にならなくても良いように思う。なぜなら、パターンの項目でも話したように、現代に至るまで何百年と前から物語は作り続けられており、ライトノベルの先駆けとなる作品が登場してからも三十年が経つ。キャラクターもストーリーもやり尽くされていると言っても良い。その中でキャラクターに個性的な設定を付加したり、特殊な能力を作ったりすることで他作品と差別化すれば良い。多くの作品が、何かしらの作品と共通するものはある。

ただし、作品の特徴となるような独特な設定が被ると、デリケートな問題になってくる。「その設定が面白くてこの作品が好きになった」というファンたちから見れば、自分の愛する作品を他者に侵害されたと感じてしまうからだ。このような設定被りが一つの場合、別の部分できちんと作品の個性が出せていれば「これは別作品だ」と認識してくれる読者もいる。しかし、設定だけでなく、世界観・キャラクター・ストーリーといったものが二つ以上被ってくると、途端に疑惑は強くなる。もちろん作家も、世界中すべての小説を読んでいるわけではないのだから、同じような設定があったことすら知らなかったという場合もあるだろう。

では、もし盗作の指摘を受けたらどうすべきか。「あの作品と似ている」程度の指摘が一つ二つあった場合はさほど気にしなくても良いが、複数の声が寄せられた時は、だんまりを決め込むのは得策ではない。「後ろめたいことがあるから黙っているんだ」と解釈されると、パクリ検証を得意とする人たちに過去作品にまで遡ってさらなる疑惑をかけられてしまう。悲しいことに偶然でも、それが重なると真実と受け止められてしまう。パクリ疑惑を向けられたら、沈黙するのではなく、真摯な態度で事情を説明するのが炎上を回避する上手な立ち回りだろう。

11章 デビューを目指すために

1 どんなデビューの道があるだろう

新人賞に投稿する

王道としては「新人賞で受賞する」というのが最も華やかなデビュー方法である。プロになりたいと思った時から、誰もが夢見ることだろう。マンガとは違い、出版社への持ち込みによるデビューの道はほぼあり得ないと思って良い。基本的に小説は読むのに時間がかかるため、持ち込みを受け付けていないのだ。

とはいえ、受賞作家ではないプロ作家がいるのも事実。出版関係者と知り合いで執筆のチャンスをもらえることもあるが、これは稀なケースなので、基本的には新人賞を目指すことになる。

新人賞には純文学系・ミステリー小説系・SF系・ライトノベル系など、ジャンルによってさまざまな賞が存在している。ライトノベルに関しては、各出版社が代表レーベルを持っており、レーベルによって作風や人気のジャンル、対象読者（年齢・性別）が変わってくる。自分の作品に一番合う賞を探して、投稿しよう。

インターネットに公開する

近年は新たなデビューの道も開けた。それが、ネットの投稿サイトに公開するという手段である。出版社が運営しているものや、新人賞と連動している投稿サイトも増えており、プレビュー数の多さや評価によって書籍化が決まるケースも少なくない。

代表的な投稿サイトには「小説家になろう」がある。書籍化やアニメ化に繋がる作品も多く、「なろう系」などと呼ばれることがある。人気が高いと編集者から直接スカウトを受けるケースもあるようだ。「ネット小説」という言葉も定着するほど、読者も業界も注目しているコンテンツには間違いない。

デビューの道

新人賞に投稿する

最も王道的で華やかなデビューの道

受賞作家という箔が付く

どこに投稿する？

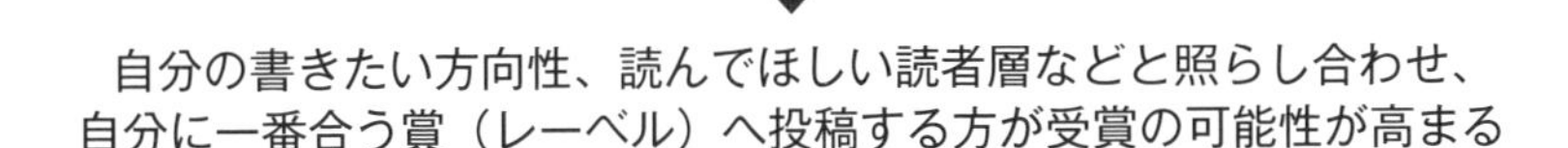

自分の書きたい方向性、読んでほしい読者層などと照らし合わせ、
自分に一番合う賞（レーベル）へ投稿する方が受賞の可能性が高まる

各出版社がレーベルを持っており、新人賞を行っている

投稿サイトで公開する

投稿サイトからデビューする道

人気が出れば、デビュー前から読者ファンがつく

**プレビュー数が上位になれば、
出版社からスカウトされるケースも**

メジャーな投稿サイト

以前は投稿サイトといえばケータイサイトが主流だったが、大手投稿サイトの「小説家になろう」やイラスト投稿サイトの「pixiv」でも小説が投稿できるようになり、近年では出版社が運営する投稿サイトも増えている。新人賞と連動している投稿サイトもある

2 レーベルを知ろう

ライトノベルにもジャンルや読者層の違いがある

一口にライトノベルといっても、ライトノベルの定義が難しいように系統も読者層もさまざま。ライトノベルは未だに成長を続けているジャンルといえるだろう。読者の興味の移り変わりや時代に合わせた作風の変化によって、近年になって新たに生まれた「世界系」や「俺TUEEE系」などもある中で、今後も新たな系統が生まれ、ジャンルがさらに拡大していく可能性は大いにある。系統の説明を始めてしまうと数が多すぎるので、ここでは大きくライトノベルというジャンルを分類してみよう。

① 少女系

少女系ライトノベルの歴史は古く、講談社X文庫ホワイトハート、一迅社文庫アイリス、角川ビーンズ文庫などのレーベルが有名。恋愛要素が入ることが多く、読者が憧れるようなキラキラした展開が魅力。ファンタジーや異世界ものも人気が高く、今では本格ファンタジーというイメージのある『十二国記』（新潮文庫／小野不由美）も元は「講談社X文庫ティーンズハート」という少女系レーベルで執筆されていた作品である。

② 少年系

ライトノベルといえば、一般的には少年系を指すことが多い。電撃文庫・MF文庫J・富士見ファンタジア文庫・角川スニーカー文庫など、数多くのレーベルが存在している。学園ものやラブコメや異世界転生ものなどが人気で、特殊能力を持つ主人公が活躍する作品もあれば、ごく普通の少年が主人公になることもある。

圧倒的な人気とシェアを誇るのが電撃文庫だが、二〇〇七年に大賞を獲った『ミミズクと夜の王』（電撃文庫／紅玉いづき）は一般文芸のような印象を与える作品という点で話題となり、ライトノベルといえば電撃文庫的なイメージがあった中で、読者に大きな衝撃を与えた。また、少年系ライトノベルには女性読者も一定数おり、新人賞に投稿する女性作家志望者も少なくはない。元々若年層向けのジャンルであるため、主人公も学生やそれに近い年齢であったが、近年では主人公の設定が社会人であったりと二〇～三〇代向けの作品も増えている。

③ライト文芸（キャラクター小説・キャラクター文芸とも）

ライト文芸は大人向けライトノベルと言われることもあるように、主人公が社会人、作品の舞台が職場、作風が一般文芸寄り、キャラクターを主体とした内容、などの特徴がある。とはいえ、必ずしも現代日本が舞台というわけではなく、異世界ものもあればハーレム要素を含んだ作品もある。強いていえば、萌え要素は控えめといえるだろう。

ライト文芸は女性読者を対象にしたレーベルが多く、大人の女性の恋愛模様や仕事に奮闘する女性が描かれている。ライトノベルのような特殊能力や世界を前面に押し出したものは少なく、キャラクター同士の関係性を重視するものが多い。「キャラクター文芸」と呼ばれるのはそのためだ。また、作者自身がライトノベルレーベル出身の作家から、一般文芸で活躍していた作家まで幅広いのも特徴で、多くの作品は書き下ろしの文庫で発売される。

④児童文学

児童文学もライトノベルと近い点のあるジャンルである。挿絵が入るという点でもそうだが、個性的なキャラクターたちを主体に物語が展開する。対象読者が小中学生のため主人公の年齢も十代前半のことが多い。一般的なライトノベルに比べて恋愛要素は抑えめで、代わりに友情などの人間関係を描き、道徳的な要素も入ってくる。実は児童書の作家の中にはライトノベル出身の作家もおり、一部児童書のライトノベル化にも影響を与えている。

⑤ネット小説

近年の書店にはネット小説専用の棚ができるほど、シェアが広がっているジャンル。前述した「小説家になろう」から書籍化された作品の他、大手出版社の運営する小説投稿サイトからの書籍化やそれらのサイトが開催している新人賞の受賞作などが主になり、ネット小説出身の作家の書き下ろしなども発表されている。

以上が、ライトノベルを大きくジャンル分けしたものである。あなたが読んでいるもの、目指したいのはどこだろうか？　試しに、全てのジャンルから一冊ずつ読んでみるのも面白いかもしれない。同じライトノベルの世界でも、幅広い作風の違いに驚きや発見があるだろう。上手いこと別ジャンルで人気の要素を組み込むことができたら、あなたの作品の読者層も増え、一躍人気が出ることも期待できる。

ジャンル別のレーベルを知る

それぞれのジャンルには、各出版社が持っているレーベルが複数存在する。レーベルによっても求められている作風が異なり、どのレーベルの新人賞へ作品を応募するかは、受賞の可能性を大きく左右するだろう。

左記の図で、ライトノベルの代表的なレーベルをジャンル別にまとめてみた。これほど数が多いと、ジャンル問わず満遍なく読んでいるという人はあまり多くないだろう。しかし、この機会に読んだことのないレーベルの作品を読んでみてはいかがだろう。もしかしたら、今後の執筆生活に影響を与えるような新しい作品に出会えるかもしれないし、自分の書きたいものに合うレーベルが見つかるかもしれない。レーベル研究は、新人賞の攻略にも役立つので、ぜひやってみよう。

レーベルを知る

少女系	
講談社X文庫ホワイトハート	講談社。代表作に『十二国記』（小野不由美）などがある
一迅社文庫アイリス	一迅社。ネット出身の作家が多く作風も個性的なものが多い
角川ビーンズ文庫	KADOKAWA。00年代創刊でライトノベル色が強い
ビーズログ文庫	KADOKAWA。コミカライズやドラマCD化に力を入れている
少年系	
電撃文庫	KADOKAWA。業界トップレーベルで男女問わず読者を持つ。新人賞には女性作家志望者からの応募も少なくない
角川スニーカー文庫	KADOKAWA。代表作に『ロードス島戦記』『涼宮ハルヒシリーズ』などがある
MF文庫J	KADOKAWA。比較的萌え要素が多い。代表作に『Re：ゼロから始める異世界生活』などがある
富士見ファンタジア文庫	KADOKAWA。10代中高生向けの老舗レーベル
ファミ通文庫	KADOKAWA。読者層は20～30代。ノベライズも多い
ガガガ文庫	小学館。個性的な作品が多く、代表作には『やはり俺の青春ラブコメはまちがっている。』などがある
ライト文芸（キャラクター文芸）	
集英社オレンジ文庫	集英社。コバルト文庫派生レーベルでジャンルは幅広い
新潮文庫nex	「新潮文庫創刊100周年」に創刊。「キャラクター」と「物語」の融合をテーマにしたレーベル
富士見L文庫	KADOKAWA。2014年に大人の女性向けとして創刊された
角川文庫 キャラクター文芸	KADOKAWA。キャラクター・エンタテインメント小説を募集するため創刊された、キャラ文芸に特化したレーベル
メディアワークス文庫	KADOKAWA。一般文芸寄りの作品も多く、代表作に『ビブリア古書堂の事件手帖』などがある
児童文学	
角川つばさ文庫	KADOKAWA。「子どもたちの読みたいを応援する」をコンセプトにジャンルにとらわれない幅広い作品展開をしている
青い鳥文庫	講談社。オリジナル作品から世界の名作まで扱われている
集英社みらい文庫	集英社。オリジナル作品の他、同社マンガ作品のノベライズもある
ネット小説	
小説家になろう	2004年に開設された小説投稿サイト。ここからデビューした作品は「なろう系」と呼ばれ、多数企業との合同文学賞も行っている
カクヨム	KADOKAWA提供の小説投稿サイト。「カクヨムWeb小説コンテスト」なども開催されている
エブリスタ	株式会社エブリスタが提供する投稿サイト。複数企業と多彩な文学賞を行っている

※すべてのレーベルを網羅しているわけではありません

3　概要の書き方

概要とは

小説を新人賞に投稿する際、必ず原稿と同送するよう規定に入っているのが「概要」といわれるものである。概要は作品のポイントを押さえて、それを読めばどんな作品なのか分かるように書かなければならない。裏表紙に載っているあらすじのように「主人公に待ち受ける運命とは――!?」と結末を濁した書き方をする人がいるが、概要の書き方としてこれではＮＧだ。新人賞の場合、読者を煽るような書き方をする必要はない。誰が、何をして、どうなる話なのかが伝わるように、規定枚数以内でまとめられていることが重要である。

「どうせ原稿を読むのにどうして概要（あらすじ）を付ける必要があるの？」と思う人もいるだろう。新人賞では選考委員が原稿を読む前に、下読みと呼ばれる作業が挟まれる。選考委員になるような人たちは忙しい人が多く、何百という作品をすべて読むのは不可能なので、規定を守れているか、選考にあがるレベルに到達しているかを読んで確認する人たちがいる。そんな下読みの人や、いざ選考を通過して原稿を読んでくれる選考委員たちが、内容を理解し把握しやすいように付けるものだと覚えておこう。

内容が分かればどんな書き方でも良いわけではない。書店で文庫裏表紙のあらすじがつまらない本をあなたは買うだろうか。概要は作品の魅力をきちんと押さえ、面白さが伝わるように書こう。短い文章で作品の魅力を伝えるのは難しいが、これができているということは面白くまとめる才能があるということでもある。概要が重大な選考ポイントになることはないかもしれないが、ちゃんと書けていれば下読みさんや選考委員の印象も良いはずだ。短くまとめるのが苦手なら、まずは時系列に沿って物語のポイントやエピソードを書き出し、それをあらすじになるように文章に整えていこう。もう一度念を押すが出し惜しむ必要はない。作品の見所はちゃんと概要に含めよう。

4 応募要項を調べよう

応募要項を確認しよう

新人賞に投稿すると決めたなら、まずは自分が投稿したい賞の応募（募集）要項を確認しよう。応募要項というのは、応募するためのルール（資格）である。原稿のレイアウトや規定枚数、応募の締め切りなどが記載されている。ルールが守れていないと、よほど面白くない限り規定違反として選考対象外になってしまうので、きちんと守る必要がある。

応募要項は、レーベルの公式サイトに設置された新人賞の募集ページに記載されていることが多い。ＨＰ以外では、『公募ガイド』という公募・コンテスト・コンペ・募集情報を掲載する雑誌などでも確認ができる。月刊誌で毎月情報が更新され、大きな新人賞から街の小さな文芸賞までさまざまな募集が掲載されているので、一度見てみると面白い。力試しにショートショートなどの小さな賞に応募するのも良いだろう。

応募のルールは厳守！

応募時のルールを守ることの大切さは述べた。具体的には、次のような点を注意したい。

① 規定枚数は守る

規定枚数の過不足は必ず守ろう。よほど内容が魅力的であれば、多少は目を瞑ってくれる可能性もゼロではないが、規定枚数で書けていないということは、仕事になった時決められた枚数で書く力のない作家と見なされないとも限らない。将来、決められた枚数で作品を書く練習という意味でも、守る努力をしよう。

応募要項を確認しよう

「応募要項」＝レギュレーション（満たすべきルール）

きちんと守れていないと選考対象外になってしまう！

①規定枚数を守る

賞によって決められた枚数が異なる。賞に出すと決めたら、まず規定枚数を確認してから、作品作りを始めよう

②余計なものを送らない

ありがちなのは指定されていない設定資料を同送することだ。指定されていないものを送っても読まれる保証はないので控えよう

③応募締め切りを守る

守って当然のルール。締め切り日から逆算し、余裕を持って準備しよう

②余計なものを送らない

応募する際には、本名に加えペンネーム、住所、年齢、概要を付けるように記載がある。逆に気をつけたいのは、上記のように定められていない余計なものを送ってしまうことである。

具体的には「自分はこんなにすごい設定を考えていたんだ！」と分厚い設定集などを添付するといった行為だ。送られても資料に目を通してくれることはないし、そんなことで規定違反と判断されてはもったいない。本来は資料などを付けなくても、魅力が伝わるように書けていることがベストだと考えて取り組んでほしい。

③応募の締め切りを守る

大原則として、応募の締め切りを守るのは最低限のルールである。ほとんどが当日消印有効となっている。大きな郵便局なら、遅い時間まで窓口が開いていることがあるので、近くの郵便局の営業時間を確認しておこう。

この他、応募するデータの形式など章によって細かな違いはあるが、まず応募要項の確認に努めよう。

12章
ライトノベル作家になるための進路

1 学校という道

学校で小説を学ぶ

小説家になるためには小説を書かないと始まらないが、そもそも小説の書き方が分からない、独学に限界を感じているという人もいるだろう。そんな人は、小説の書き方を教えてくれる学校に通ってみるのも一つの道である。アニメ化などのメディアミックス化の影響で、小説家を志す若者が増えている。それに伴い、創作系の学科を設ける専門学校も増加し、近年では大学や短大などにも小説の書き方を教える学科がある。まだまだ数は少ないが、私立系の高校でも近い学科を持つ学校があるので、興味があれば調べてみると良いだろう。特に創作系学科を持つ専門学校は多く、東京や大阪といった大都市に出なくても、地方の専門学校にも増えている。

学校で学べること、目指すことは学校や学科ごとで方針が異なる。もしも学校で小説の書き方を学びたいと考えるのなら、まずはいろいろな学校のオープンキャンパスに参加して話を聞いてみるのが良い。各学校にはプロの目玉講師がいる場合も多い。自分の理想とする学校を見つけよう。

専門学校に行くか短大・大学に行くか

専門学校と短大・大学のどちらに行くべきかという点について、一概に答えを出すのは難しい。

例えば、それぞれの学校では卒業後に得られる最終学歴が異なる。卒業後の就職のしやすさまで視野に入れるのなら、間違いなく大学卒が有利だろう。しかし、学べる内容は、大学の方が専門学校よりも文学的な面に特化していたりと、あなたの理想とする学科とは異なる場合もあるだろう。単純に小説やライトノベルの書き方を学びたいのなら、専門学校の方があなたの希望を叶えられるかもしれない。

入りやすさや卒業にかかる期間も異なる。専門学校と比べれば、短大・大学の方が入学のためのハードルは上がるだろう。もし試験に落ちてしまえば留年のリスクも伴う。一方専門学校の場合、志願者が多く倍率の高い学科でない限り、受験に落ちることは少ないといえる。

入学後はストレートで卒業できれば大学は四年間、短大や専門学校は二年間が一般的だ。学校の期間が短い分、かかる費用も少なくて済む。また、短大や専門学校には卒業のタイミングで四年生大学への編入という選択肢もある。

現在創作系学科のある学校は多いので、まずどんな学校があるのか調べてみよう。大抵の学校はホームページから無料で資料請求ができるので、興味があればどんどん送ってもらおう。

周りの大人に相談しよう

どちらにせよ、進学というのは人生を左右する大きな選択となる。学校に行って小説を学ぶことに惹かれているのなら、まずはそれをご両親や学校の先生に相談してみよう。アドバイスをもらえたり、力になってくれたりするかもしれない。一方で専門学校や大学に行くことは、地元を離れなければいけなかったり、大きな費用がかかったりと自身のこと以外にも影響が大きい。進学についてはご両親の方針があるだろうし、あなたのことを考えているからこそ反対される可能性もある。そんな時のために、なぜ自分が小説家になりたいのか気持ちを整理しておくことも大切だ。大抵のオープンキャンパスは親御さんの同伴が許されているし、個別相談に応じてくれる学校もある。親御さんと一緒に参加し、不明なことを学校の方から説明を受けることで、疑問や不安を解消することができるかもしれない。

小説の書き方を教える学科では、関連授業として出版業界で使われている専門的なソフトの使い方を学べる学校もあるので、卒業後の視野を広げたいのなら、選択科目や一般科目でどんなことが学べるのかも調べておこう。

2 中学生と高校生

あなたが中学生なら

あなたが中学生なら、将来を決めるまでまだ少し時間がある。この時間はとても貴重だし、今すぐにでも小説家になる準備を始められるということだ。本気で小説家になりたい、小説を書いてみたいという気持ちがあるのなら、大学生や専門学生になるまで待つ必要はない。学校で学ばなくても、すぐに始められることはたくさんあるからだ。

四章でも紹介したように普段の生活で起こる出来事や面白い先生や友達の人間観察をしよう。学校の図書室を利用すれば無料で借りられる本がたくさんあるので、ぜひ読書も積極的にしてほしい。アイデアを思い付いたら書き留めておくのも良いし、物語のストーリーを考えたり、実際に書いてみると良い。小説はパソコンやスマートフォンといった電子機器がなくても、ノートとペンがあれば書くことができる。中学生のうちは手書きでも十分だし、電子機器の変換に慣れると漢字の誤変換にも気付きにくくなってしまうので、手で書くことはおすすめである。

また、中学生の時にはほとんどの場合部活に入っているだろう。この部活動という経験はとても貴重だ。例えば、あなたが運動部だとしたら、自然とルールを覚え、プレイヤーとしての考え方や試合に勝った時の喜び、負けた時の悔しさといった感情も含めたスポーツの臨場感を知ることができる。それを知っていればそのスポーツを題材にした小説を書くことができるし、読者が経験者なら共感を得られるだろう。何事も調べて分かる知識で書くのでは限界がある。繊細な感情の揺れ動きや、起こる事件などのリアリティーが、実際の経験で得る感覚には負けてしまう。今のあなただからこそ知ることのできる感覚を大切に学生生活を過ごそう。

あなたが高校生なら

高校生のあなたも焦る必要はない。ただし、高校三年生なら学校の資料を請求したり、専門学校や大学のオープンキャンパスに行ったりと、学校選びや就職活動について具体的な将来を考える必要はあるだろう。この就職活動や受験勉強というのも、人生で必ず通過する貴重な経験の一つである。

オープンキャンパスは高校三年生でなくても行くことができるので、学校の雰囲気や模擬授業を受ける良い機会になるだろう。進路の候補に学校で小説の書き方を学ぶという選択肢があるのなら、ご両親や先生に相談し、積極的にオープンキャンパスに参加しよう。専門学校の数は本当にたくさんあるので、あなたがまだ高校一・二年生なら、多くの学校を見る機会がある。学校によって授業の内容や講師が大いに異なるので、より多くの学校を見て自分に一番合う進学先を探してほしい。

高校生には中学生にできないことがある。その一つはアルバイトだ。学校によって禁止されている場合もあるが、もし校則で禁止されておらず、あなたが小説家になりたいと思っているのなら、小遣いに困っていなくてもアルバイト経験をしておくべきだろう。中でも飲食店をおすすめする。お客さんと接する機会のある飲食店は人間観察にはもってこいだし、接客仕事は社会人としてのマナーや言葉遣いなども身につくので、貴重な社会経験を積める。また、十八歳になれば車の免許を取ることもできる。将来車に乗る機会があるか分からなくても、運転の仕方や車の仕組みを知っていれば、必要になった時に調べて書く必要はない。歳が上がれば、恋愛の仕方にも変化が生まれるはずだ。中学生の時は許されなかった下校時の寄り道など、高校生だからできる経験をたくさん積んでほしい。

中学生でも高校生でも、共通して言えるのは、時間があるうちに執筆活動をしていこうということ。小説はどんな進路を選んでも、本気で「小説家になろう」という気持ちがあれば書き続けることができる。書き続け、投稿を繰り返すことで力がつき、いつかデビューに繋がる可能性は十分ある。学校で学ばずにプロの小説家になっている人は大勢いる。気持ちを強く持つことが大切なのだ。

物語作りのためのテンプレート

本書で紹介している通り、物語を作るためにはいろいろなテクニックがある。しかし、最初のうちはなにをどうしたら良いかわからない人も多いだろう。

実は物語にはパターンごとに押さえるべきポイントがある。「復讐ものならターゲットのキャラクター性が大事」や「現代ファンタジーならそのファンタジックな要素が人々の暮らしや物語にどんな影響を与えるかが重要」など、特に注目すべきで、読者の興味を惹けるかどうかを左右する要素があるのだ。

ここでは皆さんにとって特に使いやすそうな三つの物語パターンに絞って、いくつかテンプレートを用意した。

①貴種流離譚
②復讐譚
③落ちもの

それぞれの詳しい内容については五章の五「王道パターンを上手に使おう」の項で紹介しているので、そちらを参照してほしい。どれも、ライトノベルだけでなくさまざまなエンターテインメント作品で普遍的に用いられるパターンであり、皆さんにとって馴染みのあるお話であるはずだ。どんな話を書けば良いか悩んでいる人は、この中からしっくりくるものを探してみよう。

各テンプレートに書かれた質問に答えることで、一応の起承転結も備えた物語ができるようになっている。ただ、質問は物語の要点を押さえたものだけなので、このテンプレートだけで小説を書くのはちょっと難しいかもしれない。テンプレートを「最初の一歩」として活用し、改めて自分でプロットを作ることをおすすめする。

テンプレート「貴種流離譚」

① 主人公はもともとどんな立場だった？

② なぜ旅に出ることになった？（目的はある？　ない？）

③ 旅のお供はいる？（最初からでも、途中で仲間になるのでも）

④ 旅に出たことをどう思っている？（屈辱なのか楽しみなのかそれとも？）

⑤ 邪魔してくる相手はいる？（道中で出会うのか追っ手なのか？）

⑥ 明らかになる真実は？（誰かにはめられたのか、それとも？）

⑦ ひと段落あるいは結末は？

テンプレート「復讐譚」

① 殺された人、あるいは奪われたものと主人公の関係は？

② 殺した、あるいは奪ったのは誰？

③ 主人公の立場は変わった？（没落したり失職したりしたか？）

④ 復讐のための仲間はいる？（最初からでも、途中で仲間になるのでも）

⑤ 邪魔してくる相手はいる？（ターゲットやその仲間なのか別口か）

⑥ 明らかになる真実は？（相手にも事情があるのか、ないのかなど）

⑦ ひと段落あるいは結末は？

テンプレート「落ちもの」

① もともと主人公はどんな存在？（弱点・欠点や目的はある？）

② 「落ちて」来たのはどんな存在？　目的は？

③ 主人公や周りの人は落ちてきたものをどう思っている？

④ 「落ちて」きたことで主人公の日常は変わる？

⑤ ちょっかいをかけてくる相手は？（主人公の敵や、落ちてきたものの追っ手など）

⑥ 明らかになる真実は？（主要人物たちの秘密など）

⑦ ひと段落あるいは結末は？

創作のための練習のすすめ

皆さんがプロの小説家を目指していくのであれば、第一に必要なのは作品を作ることである。しかし、それだけでは身に付けられない技術、味わえない経験もある。多様なアイデアを考えたり、いろいろなシチュエーションを描写したりすることがそれだ。そこで、更なる技術アップ、創作力アップを志す皆さんのために、日頃からやってもらいたい練習と、そのための課題のヒントを紹介する。

発想力のために

・プロットをできるだけ作る！

発想力を養うために一番良いのは、プロット作りの数をこなすこと。物語がしっかり完結した二〇〇文字プロットを毎日作るのが理想的だが、難しければ一週間に一作くらいで良い。

アイデアが思い付かない場合は、お題をランダムで用意しよう。友達に思い付くキーワードを出してもらったり、タロットカードを引いたり、テレビをつけて耳に入った言葉をテーマにしてみよう。

・細かいエピソードもないがしろにしない！

二〇〇文字プロットを作る練習は発想の豊かさにつながるが、物語の大まかな部分ばかり考えて、具体的なエピソードを疎かにする可能性がある。できれば別の練習もしたい。

短いプロットが溜まったら、その中のお気に入りを八〇〇文字か一六〇〇文字のプロットにしてみよう。このとき、物語の重要ポイントでは「ひょんなことで仲間になった」や「苦労して勝利する」などあやふやな展開はなるべく排除するべき。具体的な展開を想像することで、発想力がさらにアップする。

・物語の展開を考える訓練

ブレインストーミングの要領で発想の練習ができるとさらに良い。「変わったヒーローってどんなのだろう」「ピンチになった探偵はどうやって事件を解決する?」「魔王退治を依頼された勇者にどんな試練が訪れる?」など、シチュエーションを想定し、なるべくアイデアを出してみる。

文章力・描写力のために

文章力や描写力を養うにはたくさんの作品を読むこと、そしてたくさん書くことが望ましい。

あなたが作品を執筆しているなら日々文章を書いているだろうが、特定のキャラクターや特定のシチュエーションばかり書いていると成長のバランスが偏ってしまう可能性がある。

そこで、週に一度か月に一度くらいは作品とは直接関係ない文章(A4で二枚程度)を練習作として書いてみると良いだろう。このとき、あなたが今書いている(これから書こうと思っている)作品のキャラクターを登場させることで、そのキャラクターや世界について理解するための練習にもなって一石二鳥だ。可能なら作品に組み込んでも良い。具体的には、以下のようなシチュエーションがおすすめだ。それぞれ、練習するべき理由を書き添えたので参考にしてほしい。

- **日覚め**(五感を描写することにつながる)
- **食事**(書くべきことが多いうえ、実際の執筆でも頻出する重要シチュエーション)
- **街の風景**(世界設定の提示に適している)
- **乗り物に乗っている**(動かし方や感覚など、把握しなければいけない情報が多い)
- **スポーツをしている**(体の動きなどを気にする必要がある)
- **恋愛**(成就にせよ失恋にせよ片思いにせよ、心の動きを丁寧に書くことになる)
- **不思議な存在が登場する**(読者の知らないものを出す時には丁寧な描写が必要)

本書は、将来「ライトノベル作家になりたい」と考えている方に、業界の仕組みから具体的な小説の書き方、進路を決定する際の参考になることを紹介しようという試みの本だ。その目的は果たせているだろうか？

読み終わって、今どのようなことを考えているだろう。もし漠然と小説を書くことが難しそうだと感じているのなら、訓練次第でいくらでも上達するし、続けるうちに慣れてくることもあるので、まずはチャレンジしてみてほしい。既に面倒くさいと感じている方は、「はじめに」でも触れたように根性が大事な職業なだけに難しいかもしれない。けれど、趣味で書いているうちに楽しくなってくる可能性もあるので、まずは何かお話を考えてみてはどうだろう。逆に、ワクワクして「すぐにでもお話作りを始めたい！」と思った人もいるだろう。そんな方は、ぜひ熱が冷めないうちにどんどんチャレンジしてみよう。

小説は感じ方や熱意次第でスタートラインは人それぞれ。しかし、結局のところどれだけ継続していけるかが、最終的にプロになれるかどうかの分かれ目だろう。なかなか熱心になれずとも続けていけばいつか芽が出るかもしれない。逆に最初は気持ちの高ぶりと勢いに任せて頑張れたとしても、熱が冷めてやらなくなってしまっては、芽の出ようがない。まずは一日一つネタ出しをするというところからでも良い。本書でも紹介したアレンジノートを付けてみたり、古典文学を読んでみるのも良いだろう。紹介したことを参考に、無理なくできることを続けてみてほしい。

とはいえ、本書で紹介したことがライトノベル作家のなり方のすべてではない。創作支援本の制作や専門学校で指導を行っている中で気付いた点などを、新刊を出す際にできるだけアップデートするよう心がけている。しかし、限られたページ数の中ではお伝えできる情報に限りがある。本書のような総合的な小説の書き方本の他に、ストーリー作りやキャラクター制作など、目的に特化した書籍も刊行して

おわりに

いるので、興味があれば読んでいただけると幸いである。

また、榎本事務所では創作支援を目的とした書籍の他に、左記のように執筆に役立つコンテンツの運営を行っている。

◆榎本メソッド小説講座 -Online-（https://enomotomethod.jp/）
二〇二〇年十一月よりスタートした、本格的なオンライン講座。「公募新人賞の受賞／小説家デビューを叶えるための、現役プロが教えるオンライン小説家育成講座」というコンセプトで、自宅でも受講可能なオンライン講座を用意している。有料講座の他に無料の公開講座も毎月更新中。同サイトの公式ツイッター（@enomoto_online）では、創作に役立つ小技や知識を毎日連載している。

◆榎本秋プロデュース創作ゼミ（https://enomotomethod.com/）
【榎本メソッド】にもとづいた小説の書き方を中心に、役立つテクニックや情報を紹介するサイト。連載記事の他、榎本事務所の新刊紹介なども行っている。公式ツイッター（@enomoto_method）

右記のサイトでは、今後も積極的な情報の配信や、創作に関する新たな試みを続けていく予定なので、ぜひご確認いただきたい。本書などの創作支援書籍と合わせて、創作の一助になれば嬉しい限りだ。

最後に、素敵な表紙イラストを書いて下さった田村優衣さんと、その制作にご協力いただいた東放学園映画専門学校の大塚さんに、心からの感謝を。

榎本秋

書きたいと思った日から始める！
10代から目指すライトノベル作家

2021年 11月 30日　第1刷発行

著者　榎本秋・榎本事務所
発行者　道家佳織
編集・発行　株式会社DBジャパン
〒151-0053 東京都渋谷区代々木 2-23-1
ニューステイトメナー 865
電話　03-6304-2431
ファックス　03-6369-3686
e-mail　books@db-japan.co.jp
装丁・DTP　菅沼由香里（榎本事務所）
印刷・製本　大日本法令印刷株式会社
構成・執筆　菅沼由香里（榎本事務所）
執筆・編集協力　鳥居彩音・榎本海月（ともに榎本事務所）
表紙イラスト　田村優衣

ISBN978-4-86140-206-7
Printed in Japan 2021